Aprender
Excel 2010
con 100 ejercicios prácticos

Aprender
Excel 2010
con 100 ejercicios prácticos

marcombo
ediciones técnicas

Título de la obra:
Aprender Excel 2010 con 100 ejercicios prácticos

Primera edición, 2010

Diseño de la cubierta: NDENU DISSENY GRÀFIC

© 2010 MEDIAactive
   Pallars, 141-143 5º B
   08018 Barcelona
   www.mediaactive.es

© 2010 MARCOMBO, S.A.
   Gran Via de les Corts Catalanes, 594
   08007 Barcelona
   www.marcombo.com

ISBN: 978-84-267-1670-5

ISBN (obra completa): 978-84-267-1674-3

D.L.: BI-1311-2010

IMPRESO EN GRAFO, S.A.

Presentación

APRENDER EXCEL 2010 CON 100 EJERCICIOS PRÁCTICOS

100 ejercicios prácticos resueltos que conforman un recorrido por las principales funciones del programa. Si bien es imposible recoger en las páginas de este libro todas las prestaciones de Excel 2010, hemos escogido las más interesantes y utilizadas. Una vez realizados los 100 ejercicios que componen este manual, el lector será capaz de manejar con soltura el programa y crear y editar documentos de distintos tipos tanto en el ámbito profesional como en el particular.

LA FORMA DE APRENDER

Nuestra experiencia en el ámbito de la enseñanza nos ha llevado a diseñar este tipo de manual, en el que cada una de las funciones se ejercita mediante la realización de un ejercicio práctico. Dicho ejercicio se halla explicado paso a paso y pulsación a pulsación, a fin de no dejar ninguna duda en su proceso de ejecución. Además, lo hemos ilustrado con imágenes descriptivas de los pasos más importantes o de los resultados que deberían obtenerse y con recuadros IMPORTANTE que ofrecen información complementaria sobre los temas tratados en los ejercicios.

Gracias a este sistema se garantiza que una vez realizados los 100 ejercicios que componen el manual, el usuario será capaz de desenvolverse cómodamente con las herramientas de Excel 2010 y sacar el máximo partido de sus múltiples prestaciones.

LOS ARCHIVOS NECESARIOS

En el caso de que desee utilizar los archivos de ejemplo de este libro puede descargarlos desde la zona de descargas de la página de Marcombo (www.marcombo.com) y desde la página específica de este libro.

A QUIÉN VA DIRIGIDO EL MANUAL

Si se inicia usted en la práctica y el trabajo con Excel 2010, encontrará en estas páginas un completo recorrido por sus principales funciones. Pero si es usted un experto en el programa, le resultará también muy útil para consultar determinados aspectos más avanzados o repasar funciones específicas que podrá localizar en el índice.

Cada ejercicio está tratado de forma independiente, por lo que no es necesario que los realice por orden (aunque así se lo recomendamos, puesto que hemos intentado agrupar aquellos ejercicios con temática común). De este modo, si necesita realizar una consulta puntual, podrá dirigirse al ejercicio en el que se trata el tema y llevarlo a cabo sobre su propio documento de Excel.

EXCEL 2010

Microsoft Excel es uno de los programas de edición de hojas de cálculo más potentes del mercado y al mismo tiempo de más fácil manejo. Es conveniente destacar esta segunda característica, puesto que de nada serviría al gran público un programa capaz de realizar los más complicados cálculos si su aprendizaje fuera largo y costoso.

Una hoja de cálculo es una aplicación concebida para efectuar todo tipo de cálculos numéricos de forma automática, siguiendo las directrices que establece el usuario.

Con Excel podrá construir muchos tipos de hojas de cálculo e, incluso, bases de datos como agendas o listas telefónicas en las que podrá almacenar por ejemplo los nombres de sus clientes, la dirección de sus empresas, sus teléfonos de contacto, etc. La interfaz del nuevo Excel 2010, además de contar con un agradable diseño que se ve mejorado en esta versión gracias a la Cinta de opciones, sitúa a la vista las funciones más necesarias y cuenta con un gran número de asistentes que facilitan la labor del usuario cuando su dificultad lo requiere.

Cómo funcionan los libros "Aprender..."

El título de cada ejercicio expresa sin lugar a dudas en qué consiste éste. De esta forma, si le interesa, puede acceder directamente a la acción que desea aprender o refrescar.

Los ejercicios se han escrito sistemáticamente paso a paso, para que nunca se pierda durante su realización.

El número a la derecha de la página le indica claramente en qué ejercicio se encuentra en todo momento.

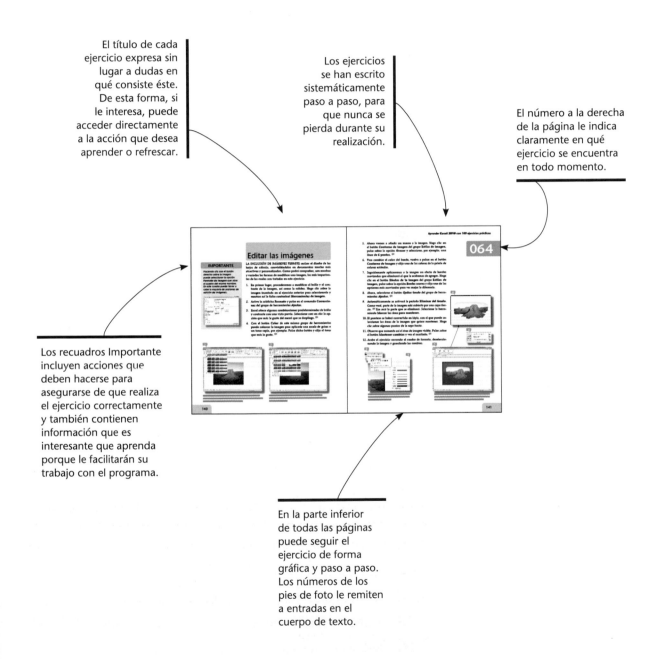

Los recuadros Importante incluyen acciones que deben hacerse para asegurarse de que realiza el ejercicio correctamente y también contienen información que es interesante que aprenda porque le facilitarán su trabajo con el programa.

En la parte inferior de todas las páginas puede seguir el ejercicio de forma gráfica y paso a paso. Los números de los pies de foto le remiten a entradas en el cuerpo de texto.

Índice

Índice

Entrar en Excel y abrir un documento

IMPORTANTE

Puede crear automáticamente un acceso directo a Microsoft Excel en su Escritorio utilizando la opción **Enviar a/Escritorio (crear acceso directo)** de su menú contextual.

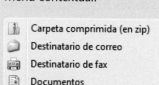

En el menú **Inicio**, dentro del elemento **Todos los programas** y de la carpeta Microsoft Office encontrará el acceso a **Microsoft Office Excel**.

EXCEL ES UNA DE LAS APLICACIONES de hoja de cálculo más utilizada, conocida y extendida entre los usuarios de la ofimática. Se trata de un programa que permite realizar todo tipo de operaciones matemáticas, desde las más sencillas, como sumas, restas y divisiones, hasta las más complicadas, como funciones trigonométricas. En este primer ejercicio, aprenderá a acceder a Excel y a abrir un documento.

1. Pulse el botón **Iniciar** de la **Barra de tareas** del Escritorio de Windows y haga clic en la opción **Todos los programas**.

2. Pulse sobre la carpeta de **Microsoft Office** y seleccione el programa **Microsoft Office Excel 2010**.

3. Como novedad de Excel 2010 aparecerá una pantalla que, durante unos segundos, permite cancelar el proceso de apertura y minimizar la ventana del programa antes de que llegue a cargarse. Cancele el arranque desde la pantalla de inicio pulsando sobre el botón de aspa situado en el extremo superior derecho.

4. Vuelva a abrir Excel seleccionando el acceso que se habrá situado en el panel de programas frecuentes del menú de Inicio.

5. Al iniciar la sesión de trabajo con **Microsoft Excel**, nos encontramos con una hoja de cálculo en blanco formada por las retículas que forman las celdas en las que se introducirán los datos. El programa denomina por defecto **Libro1** a este documento, como puede observar en la **Barra de título**. Para

La pantalla de apertura del programa permite cancelar el proceso antes de que se cargue el programa.

cerrar el **Libro 1** pulse en el botón de aspa del extremo derecho de la **Cinta de opciones.**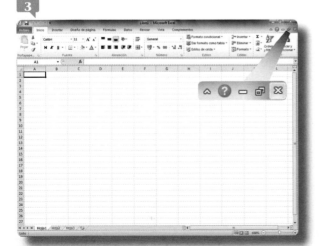

6. Automáticamente se cierra la ventana del libro de trabajo, quedando visible únicamente la ventana del programa. Para abrir un nuevo documento debe dirigirse a la pestaña **Archivo**, situada en la esquina superior izquierda de la ventana de Excel. Haga clic en dicho botón para desplegar su menú. 🔴

7. Este menú incluye las funciones más comunes del trabajo con archivos, como abrir documentos ya existentes, crear nuevas hojas de cálculo, guardarlas, imprimirlas, etc. En este momento, ya que no hay ningún documento, no están todas las opciones disponibles. El botón **Reciente** permite abrir documentos que hemos usado recientemente; si es la primera vez que utiliza el programa no habrá ninguno. El botón **Nuevo** muestra opciones para crear nuevos libros. Pulse sobre los dos botones para conocer las distintas opciones que ofrecen.

8. En las opciones del menú **Nuevo** verá que puede elegir entre abrir un libro en blanco o bien basado en alguna de las plantillas que Excel pone a disposición del usuario. En este caso, seleccione **Libro nuevo** haciendo doble clic o bien pulsando el botón **Crear.** 🔴

Observe la **Barra de título** del programa. Se ha abierto un nuevo libro en blanco que el programa ha denominado automáticamente **Libro2**. Cada vez que abra un nuevo libro en una misma sesión, Excel le añadirá el número de orden correspondiente.

En la nueva **pestaña Archivo** se encuentran las acciones que más habitualmente se llevan a cabo con los archivos.

En la parte superior, hallamos la Barra de herramientas de acceso rápido y la Cinta de opciones.

En el comando **Nuevo** deberá indicar si desea crear un nuevo libro en blanco o bien basarlo en alguna de las plantillas predeterminadas que Excel pone a su disposición.

La Barra de acceso rápido

LA BARRA DE HERRAMIENTAS DE ACCESO RÁPIDO se encuentra a la izquierda de la Barra de título y contiene un grupo de iconos correspondientes a las acciones más comunes que se llevan a cabo con los documentos: Guardar, Deshacer, Rehacer e Imprimir. Se trata de una barra personalizable a la que es posible añadir nuevos iconos desde la ficha de personalización del cuadro Opciones de Excel o bien utilizando la opción adecuada del menú contextual de las diferentes herramientas.

1. En este ejercicio veremos cómo añadir iconos a la **Barra de herramientas de acceso rápido** de dos modos diferentes. Haga clic sobre el botón de punta de flecha de esta barra y pulse sobre la opción **Más comandos**.

2. Se abre el cuadro **Opciones de Excel** mostrando activa la ficha **Personalizar**, donde aparece un listado de las diferentes categorías en que se agrupan las herramientas. Pulse, por ejemplo, sobre la herramienta **Abrir** y haga clic en el botón **Agregar**.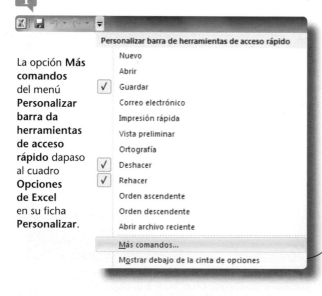

3. Si aceptáramos la operación, el icono de la herramienta **Abrir** aparecería ya en la barra. Observe que la personalización de la misma puede afectar a todos los documentos que abramos con Excel, o bien sólo al que se encuentre abierto en estos

La opción **Más comandos** del menú **Personalizar barra da herramientas de acceso rápido** da paso al cuadro **Opciones de Excel** en su ficha **Personalizar**.

En el menú **Comandos disponibles en** se puede elegir entre diferentes categorías de comandos. Por defecto, se muestran los comandos más utilizados.

002

momentos. Puede quitar los iconos que no desee seleccionándolos en el cuadro de la derecha y pulsando el botón **Quitar**. Igualmente, con las flechas que se encuentran a la derecha del cuadro de iconos es posible modificar el orden en que éstos se muestran en la barra. Pulse el botón **Restablecer**. **3**

4. Se mostrarán dos opciones de restablecimiento y seleccionando la primera se abrirá el cuadro **Restablecer personalizaciones**. Pulse el botón **Sí** **4** para devolver el aspecto original a la **Barra de herramientas de acceso rápido** y cierre el cuadro **Opciones de Excel** pulsando el botón **Cancelar**.

5. Existe una manera quizás más rápida de añadir iconos a esta barra. Imaginemos, por ejemplo, que queremos agregar el grupo de herramientas de celdas. En la pestaña **Inicio** de la **Cinta de opciones**, haga clic con el botón derecho del ratón sobre el título del grupo de herramientas **Celdas** y, en el menú contextual que aparece, pulse sobre la opción **Agregar a la barra de herramientas de acceso rápido**. **5**

6. Como ve, no sólo es posible agregar iconos, sino también grupos de herramientas. Haga clic sobre el icono **Celdas** añadido a la **Barra de herramientas de acceso rápido** **6** y, tras comprobar que incluye varias herramientas de trabajo con celdas, vuelva a pulsar sobre él para ocultarlas.

Para eliminar iconos de la **Barra de herramientas de acceso rápido** se debe utilizar la opción **Eliminar de la Barra de herramientas de acceso rápido** de su menú contextual.

La opción **Agregar a la barra de herramientas de acceso rápido** añade a dicha barra el icono del grupo de herramientas indicado. Todas las herramientas de ese grupo aparecen al pulsar sobre su icono.

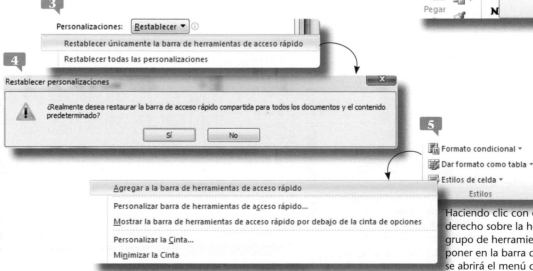

Haciendo clic con el botón derecho sobre la herramienta, o grupo de herramientas que quiera poner en la barra de aceso rápido, se abrirá el menú contextual

Practicar con la Cinta de opciones

LA CINTA DE OPCIONES (llamada *Ribbon* en inglés), se ha diseñado para facilitar la tarea de localizar los comandos necesarios para ejecutar una acción. Cada una de las fichas de la cinta reúne los grupos de comandos relacionados con una actividad concreta (insertar, diseñar la página, introducir fórmulas, etc.). Para pasar de una ficha a otra basta con pulsar sobre su correspondiente pestaña.

1. Por defecto, la ficha que se muestra activa al acceder a Excel es **Inicio**. Para visualizar el contenido de la ficha **Insertar**, haga clic sobre su pestaña. **1**

2. Observe que junto al título del grupo de herramientas **Gráficos** hay un pequeño icono. Es el **iniciador de cuadro de diálogo o de panel de opciones**. Pulse sobre dicho icono. **2**

3. En este caso se ha abierto el cuadro **Insertar gráfico** desde el cual podemos definir el aspecto de un gráfico. Ciérrelo pulsando el botón **Cancelar**. **3**

4. Además de las ocho fichas que aparecen por defecto en la Cinta de opciones, existen una serie de fichas de herramientas contextuales que, para evitar confusiones y mantener despejada la zona de trabajo, sólo aparecen cuando se encuentra seleccionado el elemento al cual sus herramientas hacen referencia.

IMPORTANTE

Haciendo doble clic sobre cualquiera de las pestañas de la **Cinta de opciones**, ésta se contrae ocultando las opciones y muestra sólo las pestañas de las diferentes fichas. Para restaurarlas sólo hay que repetir el doble clic.

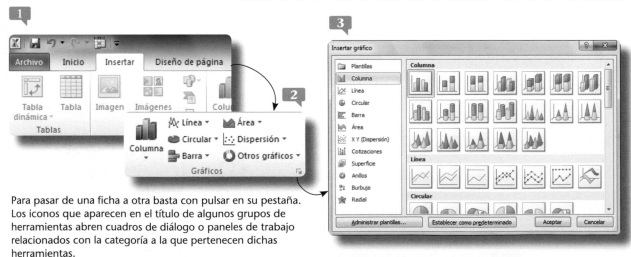

Para pasar de una ficha a otra basta con pulsar en su pestaña. Los iconos que aparecen en el título de algunos grupos de herramientas abren cuadros de diálogo o paneles de trabajo relacionados con la categoría a la que pertenecen dichas herramientas.

003

Veamos un ejemplo. Haga clic sobre la herramienta **Tabla**, en el grupo de herramientas **Tablas** de la ficha **Insertar**. 🔟

5. Mantenga la información que aparece en el cuadro **Crear tabla** y pulse el botón **Aceptar**. 🔟

6. Automáticamente se crea una tabla en la celda seleccionada a la vez que aparece en la Cinta de opciones una nueva ficha, denominada **Herramientas de tabla**. 🔟 Haga clic sobre el botón **más** de **Estilos de tabla**.

7. Aparece así una completísima Galería de estilos de tabla. 🔟 Con el grupo de herramientas Estilos de tabla podemos modificar el aspecto de la tabla. Sitúe el puntero del ratón sobre el estilo que prefiera y compruebe cómo antes de aplicar este estilo, el programa muestra una vista previa del mismo en la tabla que hemos creado. 🔟 Para aplicar definitivamente este estilo, pulse sobre él.

8. Haga clic en la celda A1 y, manteniendo pulsada la tecla Mayúsculas, haga clic en la celda A2 y pulse la tecla Suprimir para eliminar la tabla de la hoja.

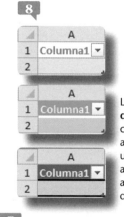

La **vista previa en directo** permite comprobar el aspecto que tendrá un elemento al aplicarle un estilo antes de elegirlo definitivamente.

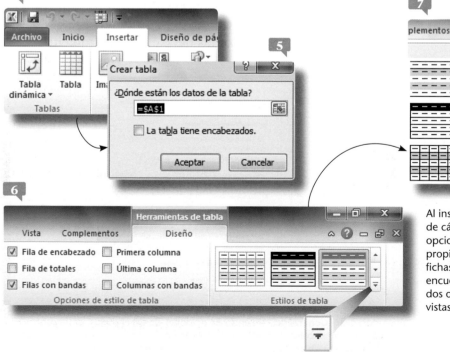

Al insertar una tabla en una hoja de cálculo, aparece en la Cinta de opciones una ficha de herramientas propia de este elemento. Este tipo de fichas, que sólo aparecen cuando se encuentran seleccionados determinados objetos o activadas determinadas vistas, son las **fichas contextuales**.

Personalizar el entorno de Excel

EN EL CUADRO OPCIONES DE EXCEL, al que se accede desde la pestaña Archivo, disponemos de varios comandos que nos permiten realizar modificaciones en el entorno del programa.

1. Para empezar, haga clic en la pestaña **Archivo** y pulse sobre el comando **Opciones**.

2. Desde la ficha **General** podemos hacer que se muestre o no la **Barra de herramientas mini**, con cuyas herramientas se puede modificar el formato del contenido de las celdas, habilitar o deshabilitar las vistas previas activas, etc. Veamos qué combinaciones de colores nos ofrece el programa. Haga clic en el botón de punta de flecha del campo **Combinación de colores** y elija la opción **Negro**.

3. En el apartado **Al crear nuevos libros**, podemos definir el tipo y el tamaño de letra que usará por defecto el programa así como establecer la vista predeterminada para las hojas y el número de hojas que incluirán los nuevos libros, que por defecto es 3. Por último, en el apartado **Personalizar la copia de Microsoft Office** podemos cambiar el nombre de usuario. Haga clic en la categoría **Avanzadas** del panel de la izquierda.

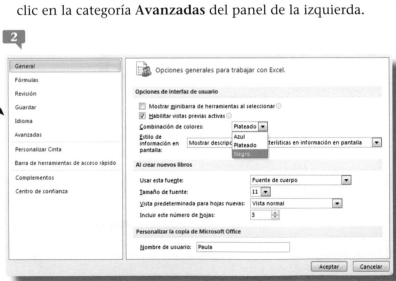

Desde la ficha **General** del comando de opciones de excel puede, entre otras cosas, cambiar el **color de fondo** de la aplicación, hacer que aparezcan **etiquetas informativas** al situar el puntero del ratón sobre las diferentes herramientas, etc.

4. En esta ficha encontramos otras opciones de configuración del entorno de Excel. Cambiaremos ahora el número de archivos recientes que mostrará el programa en la pestaña **Archivo**. Desplácese hacia abajo con la **Barra de desplazamiento vertical**, haga doble clic en el campo **Número de documentos de la lista de documentos recientes** y escriba otro valor.

5. También podemos mostrar u ocultar la **Barra de fórmulas**, las barras de desplazamiento y los encabezados de filas y columnas. En el apartado **Mostrar**, desactive la opción **Mostrar barra de fórmulas**. **3**

6. Siga bajando, desactive la opción **Mostrar encabezados de fila y columna** del apartado **Mostrar opciones para esta hoja** **4** y pulse el botón **Aceptar** para aplicar los cambios.

7. El cambio de color de fondo de la aplicación es evidente, al igual que la desaparición de los encabezados de filas y columnas y de la **Barra de fórmulas**. Sitúese en la ficha **Vista** de la Cinta de opciones pulsando sobre su pestaña.

8. Desde aquí podemos cambiar las vistas del libro, mostrar u ocultar elementos, modificar el zoom y organizar las ventanas cuando haya más de una abierta. Pulse el botón del grupo de herramientas **Mostrar** y active la opción **Barra de fórmulas**.

9. Haga clic de nuevo en el botón del grupo de herramientas **Mostrar u ocultar** y active la opción **Títulos** para volver a mostrar los encabezados. **5**

Para recuperar el color de fondo de la aplicación, deberá acceder nuevamente a la ficha **General** del cuadro de opciones.

Desde el grupo de herramientas **Mostrar** de la ficha Vista es posible mostrar u ocultar la regla, las líneas de cuadrícula, la Barra de mensaje, la Barra de fórmulas y los títulos.

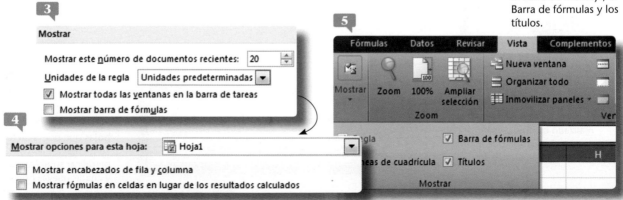

Las opciones para cambiar el número de documentos recientes y para mostrar la Barra de fórmulas y los encabezados de fila y columna se encuentran en la ficha **Avanzadas** del cuadro de opciones.

Abrir hojas de cálculo y libros de trabajo

LOS DOCUMENTOS CREADOS CON EXCEL se denominan libros. Cada uno de ellos se compone de varias hojas de cálculo almacenadas en un mismo archivo. Una hoja de cálculo es una cuadrícula rectangular formada por una determinada cantidad de celdas organizadas en filas y columnas.

1. En la **Barra de título** aparece el nombre asignado por defecto a un documento de Excel. Haga clic en la pestaña **Archivo** y cierre el libro pulsando sobre la opción **Cerrar**. 📣

2. Si ha realizado cambios en el libro, el programa le preguntará si desea almacenarlo en el equipo. En el cuadro de diálogo, pulse el botón **No guardar**. 📣

3. Vuelva a pulsar sobre la pestaña **Archivo,** por defecto aparecerá seleccionada la ficha **Nuevo.** Para crear un libro en blanco seleccione la opción **Libro en blanco** y haga clic sobre el botón **Crear**, o bien haga doble clic directamente sobre la opción **Libro en blanco**.

4. Observe el título del nuevo libro que, al igual que el primero con el que hemos practicado, está compuesto por 3 hojas. A continuación, editaremos la etiqueta de la primera de estas hojas. Haga doble clic sobre la pestaña **Hoja 1** 📣 situada al pie de la pantalla, para mostrarla en modo de edición, escriba un nuevo nombre para la hoja y pulse la tecla **Retorno**.

IMPORTANTE

Los archivos de tipo libro de la nueva versión de Excel se identifican por su extensión **.xlsx**. Es conveniente conservar esta extensión aun cuando se modifique el nombre del archivo.

Puntos.xlsx - Microsoft Excel

Si cierra un libro en el que ha realizado cambios, aparecerá un cuadro de diálogo que le pregunta si desea guardarlos.

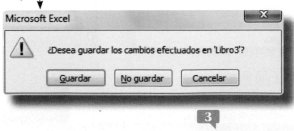

Microsoft Excel

⚠ ¿Desea guardar los cambios efectuados en 'Libro3'?

Guardar | No guardar | Cancelar

Puede cambiar el nombre de las **3 hojas** que por defecto contienen los libros, modificar su ubicación y añadir nuevas hojas.

Hoja1 / Hoja2 / Hoja3

Listo

5. Para abrir un libro que tenga guardado en su equipo, haga clic en la pestaña **Archivo** y pulse sobre el comando **Abrir**.

6. Si no tiene ningún documento excel guardado en su ordenador le recomendamos que se descargue de nuestra página web el documento Puntos.xlsx y lo guarde en su PC. En el cuadro de diálogo **Abrir**, localice y seleccione el archivo que quiera abrir y pulse el botón **Abrir**. (Si no utliza el archivo **Puntos. xlsx** le recomendamos que sea una hoja de cálculo con texto y números.)

7. Seleccione una celda con contenido y compruebe que éste aparece también en la **Barra de fórmulas**, tanto si es de texto como numérico.

8. En el caso de que se trate del resultado de una fórmula, como en la imagen, en la barra aparecerá la operación en cuestión. Para eliminar el contenido de una celda, selecciónela y pulse la tecla **Suprimir**.

9. Si esa celda interviene en una fórmula, podrá ver cómo ésta se actualiza de forma automática. Tras conocer el funcionamiento básico de una hoja de cálculo, guarde los cambios realizados en su documento si lo desea pulsando el icono **Guardar**, representado por un disquete en la **Barra de herramientas de acceso rápido**.

La opción **Abrir** de la pestaña **Archivo** conduce al cuadro de diálogo Abrir, donde deberá localizar y seleccionar el archivo que desea abrir. La combinación de teclas que abre este cuadro es Ctrl+A.

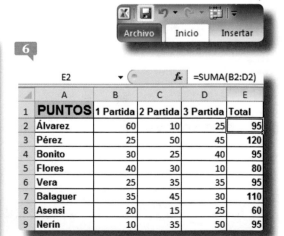

Al modificar los componentes de una fórmula, el resultado final se actualiza de manera automática y se muestra en la celda correspondiente.

Crear documentos

LOS LIBROS DE EXCEL pueden crearse en blanco o bien pueden basarse en un documento ya existente o en una de las múltiples plantillas que el programa pone a disposición del usuario. Cuando se crea un documento en blanco, el programa se limita a asignar un nombre provisional al fichero en la Barra de título y a mostrar todas las celdas vacías.

1. Para refrescar su memoria, haga clic en la pestaña **Archivo** y pulse sobre la opción **Nuevo**.

2. Se abre la ficha **Nuevo** donde debemos indicar si el nuevo libro será un libro en blanco o bien estará basado en una plantilla o en un libro ya existente. Mantenga seleccionada la opción **Libro en blanco** y pulse el botón **Crear**.

3. El libro creado muestra todas las celdas en blanco y con las dimensiones establecidas por defecto. Ciérrelo pulsando el botón de aspa de su **Cinta de opciones**. (Recuerde que si pulsa el botón de aspa de la Barra de título se cerrará el programa.)

4. Ahora crearemos un libro nuevo a partir de otro que ya exista y que deberá tener guardado en su equipo. Pulse nuevamente en la pestaña **Archivo** y haga clic en la opción **Nuevo**.

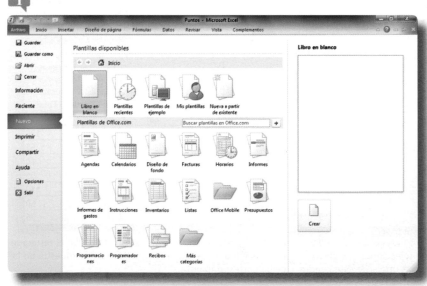

En el comando **Nuevo** de la pestaña **Archivo** debe escoger entre crear un libro en blanco, basado en una plantilla o basado en otro documento.

El **botón de aspa** de la Barra de título de Excel cierra la aplicación y, por tanto, todos los libros que se encuentren abiertos. El botón de aspa de la Cinta de opciones, por su parte, cierra el documento activo.

5. En las opciones disponibles seleccione con un clic **Nuevo a partir de existente.** 🔳

6. Aparece la ventana **Nuevo a partir de libro existente** que muestra los archivos almacenados en su carpeta Documentos. Seleccione el libro de Excel en el que desee basar el nuevo y pulse el botón **Crear nuevo.** 🔳

7. Aparentemente, el contenido del archivo coincide con el original pero, hay una diferencia: Excel ha añadido el número 1 al final del título. 🔳 De este modo, puede crear un documento nuevo aprovechando la misma estructura y contenido del que acaba de abrir. En este ejemplo no realizaremos ninguna modificación por lo que no es necesario que guardemos el libro nuevo. Pulse el **botón de aspa** de la Cinta de opciones para cerrarlo y dar por acabado el ejercicio.

006

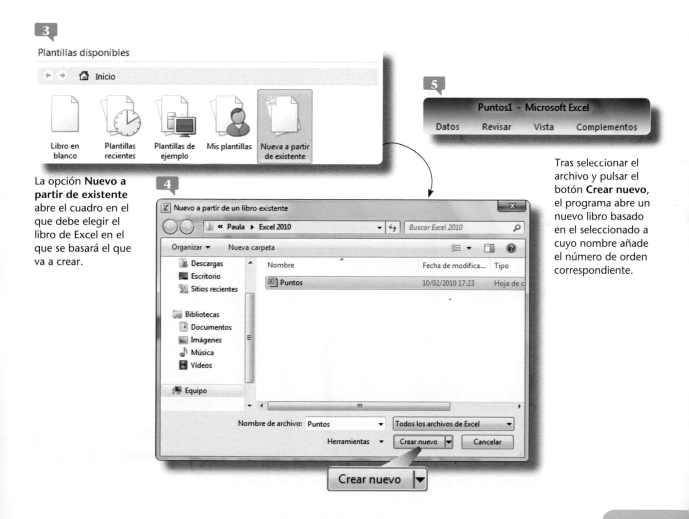

3

Plantillas disponibles

Inicio

Libro en blanco | Plantillas recientes | Plantillas de ejemplo | Mis plantillas | Nueva a partir de existente

La opción **Nuevo a partir de existente** abre el cuadro en el que debe elegir el libro de Excel en el que se basará el que va a crear.

4

Nuevo a partir de un libro existente

Paula ▶ Excel 2010 · Buscar Excel 2010

Organizar ▼ Nueva carpeta

Descargas
Escritorio
Sitios recientes

Bibliotecas
Documentos
Imágenes
Música
Vídeos

Equipo

Nombre | Fecha de modifica... | Tipo
Puntos | 10/02/2010 17:23 | Hoja de c

Nombre de archivo: Puntos | Todos los archivos de Excel

Herramientas ▼ | Crear nuevo | Cancelar

Crear nuevo

5

Puntos1 - Microsoft Excel

Datos | Revisar | Vista | Complementos

Tras seleccionar el archivo y pulsar el botón **Crear nuevo**, el programa abre un nuevo libro basado en el seleccionado a cuyo nombre añade el número de orden correspondiente.

Introducir datos

PARA INTRODUCIR DATOS EN UNA CELDA, basta con que ésta se encuentre seleccionada y escribir directamente. Reconocemos cuál es la celda seleccionada o activa porque se encuentra rodeada de bordes negros y porque la columna y la fila que la identifican se pueden leer en el cuadro de nombre.

1. Si una celda tiene contenido, basta con escribir directamente sobre ella para cambiarlo por otro. Con la celda **C5** seleccionada, introduzca la cifra **325** y pulse la tecla **Retorno**.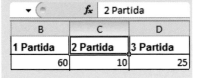

2. El cursor se desplaza hacia abajo, según lo establecido en el cuadro de opciones del programa, y el contenido desaparece de la **Barra de fórmulas** por encontrarnos en estos momentos en la celda **C6**, que está vacía. Escriba, por ejemplo, la palabra **mesa**.

3. En la Barra de fórmulas, a la izquierda del texto que estamos introduciendo, aparecen tres botones. El que muestra una marca de verificación ejecuta la función **Introducir** sin desplazar la celda activa. Púlselo.

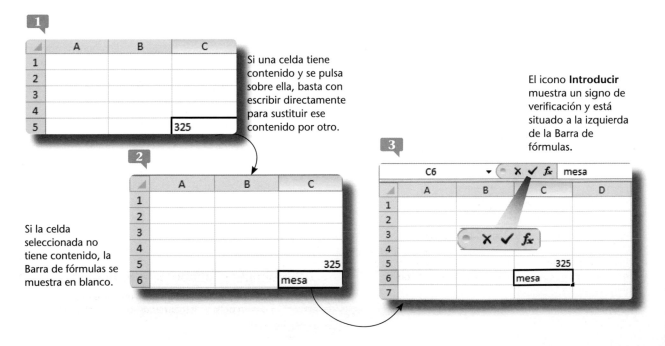

1

	A	B	C
1			
2			
3			
4			
5			325

Si una celda tiene contenido y se pulsa sobre ella, basta con escribir directamente para sustituir ese contenido por otro.

El icono **Introducir** muestra un signo de verificación y está situado a la izquierda de la Barra de fórmulas.

2

	A	B	C
1			
2			
3			
4			
5			325
6			mesa

Si la celda seleccionada no tiene contenido, la Barra de fórmulas se muestra en blanco.

3

C6	▾ (	✕ ✓ fx	mesa

	A	B	C	D
1				
2				
3				
4				
5			325	
6			mesa	
7				

✕ ✓ fx

4. El texto se ha introducido y el cursor de texto ha desaparecido. Haremos otra prueba escribiendo un nuevo texto desde el teclado. Escriba, a modo de ejemplo, la palabra **silla**.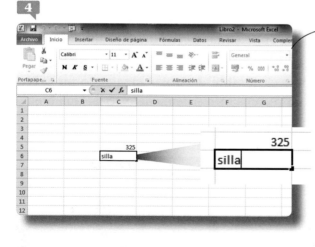

5. El texto se introduce y elimina el contenido anterior. Hasta ahora hemos visto que tanto la tecla **Retorno** como el botón **Introducir** de la Barra de fórmulas sirven para confirmar la entrada de datos. Para acabar este sencillísimo ejercicio, utilizaremos una de las teclas de dirección para realizar esa misma operación. Pulse la **tecla de dirección hacia la derecha** de su teclado para hacer efectiva la introducción de los datos y seleccionar la celda **D6**.

6. Si quiere modificar una celda con contenido pero no sustituirlo completamente puede seleccionar la celda y editar el contenido sobre la barra de fórmulas o bien hacer doble clic sobre dicha celda. Colóque el ratón en la celda **D6** y haciendo doble clic active el modo de edición y modifique el texto escribiendo **sillas**.

En resumen, para hacer efectiva la introducción de los datos, puede procederse de varios modos: pulsar la tecla **Retorno**, seleccionar **otra celda** con el cursor, pulsar una **tecla de dirección** en el teclado o hacer clic en el botón **Introducir** de la Barra de fórmulas.

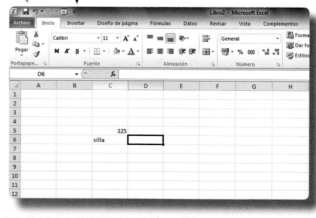

De manera predeterminada, los textos se alinean a la izquierda y los números a la derecha. Es posible cambiar la configuración de alineación de las celdas desde el cuadro Formato de celdas con el que trabajaremos más adelante.

Para desplazarse por las celdas, puede utilizar las **teclas de dirección** o bien pulsar directamente sobre la celda que desea seleccionar.

Insertar hojas

PARA INSERTAR UNA NUEVA HOJA se pueden utilizar distintos métodos. El botón Insertar de la ficha Inicio tiene la opción Insertar hoja. También se puede usar el icono Insertar hoja de cálculo que aparece a la derecha de las etiquetas de las hojas, o bien la opción Insertar del menú contextual de las etiquetas. La nueva hoja de cálculo se situará siempre a la izquierda de la que se halle seleccionada.

1. Un libro de Excel tiene por defecto 3 hojas. Esta configuración inicial se puede modificar en el cuadro Opciones de Excel, aunque es recomendable no hacerlo y añadir las hojas en el libro sólo cuando sea necesario. Haga clic en la pestaña **Archivo** y pulse sobre el comando **Opciones**.

2. Observe que en el campo **Incluir este número de hojas** del apartado **Al crear nuevos libros**, aparece por defecto el número 3. Pulse el botón **Cancelar** para cerrar el cuadro Opciones de Excel.

3. Ahora insertará una hoja en su libro. Haga clic en el botón de punta de flecha de la herramienta **Insertar**, en el grupo **Celdas** de la ficha Inicio, y pulse en la opción **Insertar hoja**.

4. La nueva hoja se sitúa a la izquierda de la que se hallaba seleccionada y toma el nombre de **Hoja4** siguiendo un orden correlativo. Ahora veamos otro sistema de insertar una hoja y

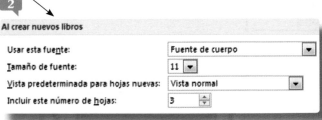

Acceda al cuadro de opciones de Excel y compruebe que el programa incluye por defecto **3 hojas** al crear un nuevo libro.

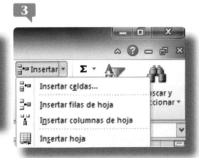

Puede insertar una hoja de cálculo en un libro usando la opción **Insertar hoja** del comando **Insertar**, incluido en el grupo de herramientas Celdas de la ficha Inicio.

desplazarla. Haga clic con el botón derecho del ratón sobre la pestaña **Hoja3**.

5. Como puede ver, este menú contextual nos permite cambiar el nombre de las hojas, moverlas o copiarlas, proteger las hojas, ocultarlas, etc. Haga clic sobre la opción **Insertar**.

6. Se abre el cuadro de diálogo **Insertar**, en el que podemos ver algunos de los objetos que se pueden insertar en un libro de Excel. La opción **Hoja de cálculo** ya se encuentra seleccionada. Pulse el botón **Aceptar** de este cuadro.

7. Para situar estas hojas donde más nos interese podemos arrastrarlas con el ratón de una en una, pero, en este caso, utilizaremos otro método que ya conocemos. Haga clic con el botón derecho del ratón sobre la pestaña de la **Hoja4** y seleccione la opción **Mover o copiar** del menú contextual.

8. En la lista de opciones del cuadro de diálogo Mover o copiar, seleccione la opción **mover al final** y pulse el botón **Aceptar**.

9. Por último inserte una nueva hoja al final del libro usando el icono **Insertar hoja de cálculo**, situado a la derecha de las etiquetas de hoja.

10. Ésta es quizás la manera más rápida y sencilla de insertar hojas. Más adelante veremos cómo eliminarlas. Para acabar este sencillo ejercicio, guarde los cambios realizados pulsando el icono **Guardar** de la **Barra de herramientas de acceso rápido**.

En el cuadro **Mover o copiar** podemos especificar dónde queremos situar las hojas que vamos a mover o copiar.

El comando Insertar del menú contextual de las etiquetas de hoja abre el cuadro de diálogo del mismo nombre, en el que podemos elegir el tipo de hoja que queremos insertar.

Utilice el icono Insertar hoja situado junto a las etiquetas de hojas para insertar una nueva hoja en blanco. Recuerde que también puede hacerlo usando la combinación de teclas **Mayúsculas+F11**.

Moverse por las hojas y por el libro

IMPORTANTE

Puede utilizar el cuadro **Ir a** para acceder directamente a una celda concreta de una hoja. Para ello, debe introducir en el campo **Referencia** primero el nombre de la hoja y después, tras un signo de admiración cerrado, el nombre de la celda. (Ejemplo: **Hoja1!A3**).

Referencia:

Hoja2!C15

Especial...   Aceptar

EXISTEN MUCHAS MANERAS DE DESPLAZARSE por una hoja de cálculo. Los desplazamientos pueden lograrse utilizando el ratón, las teclas o las combinaciones de teclas. Por su parte, el desplazamiento a las diferentes hojas de un libro se consigue pulsando sobre la etiqueta de la hoja a la que se quiere acceder.

1. Utilizar el ratón para desplazarnos por la hoja consiste simplemente en seleccionar una nueva celda de las que hay en pantalla. Pulse sobre la celda **D9**. 💬

2. A continuación, en su teclado, pulse la **tecla de dirección hacia arriba** para pasar a la celda **D8** y después pulse la tecla **Avance página** para desplazarse una pantalla entera hacia abajo.

3. Pulse ahora la combinación de teclas **Control** y **tecla de dirección hacia la derecha**.

4. Nos hemos desplazado hasta el final de la fila. 💬 Debe saber que, si hubiera alguna celda con contenido dentro de la fila activa, el desplazamiento se hubiera detenido en ella. Pulse ahora la tecla **Inicio**.

5. El desplazamiento nos ha llevado a la primera celda de la fila. Finalmente, pulse dos veces consecutivas la combinación de teclas **Fin** y **tecla de dirección hacia arriba**.

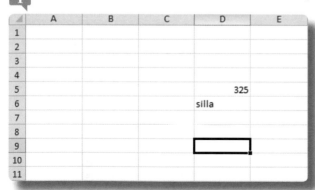

Para **seleccionar una celda**, basta con pulsar sobre ella. También se pueden utilizar las teclas de desplazamiento o determinadas combinaciones de teclas que nos mueven por toda la hoja.

La combinación de teclas **Control y tecla de dirección hacia la derecha** nos desplaza hasta la última celda de la fila en que se encuentra la celda seleccionada.

009

6. Este nuevo desplazamiento nos ha conducido primero hasta la primera celda con contenido que ha encontrado y después a la celda A1. Veamos un modo directo de acceder a una celda que no se encuentra visible en la pantalla. Sitúese en la ficha **Inicio** de la Cinta de opciones.

7. Haga clic en el botón del grupo de herramientas **Buscar y seleccionar** y, de la lista de opciones que aparece, seleccione **Ir a**.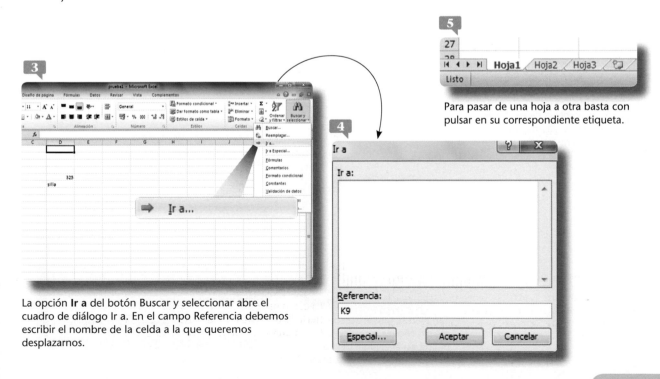

8. Se abre el cuadro de diálogo **Ir a**, mostrando el cursor de edición en el campo **Referencia**. Escriba, por ejemplo, la combinación **K9** y pulse el botón **Aceptar**.

9. Aprovechemos estos desplazamientos para comprobar el número de filas que contiene la hoja. Pulse la combinación de teclas **Control + tecla de dirección hacia abajo**.

10. Excel 2010 cuenta con 1.048.576 filas. Pasemos ahora a los desplazamientos por las hojas de un libro. Haga clic sobre la pestaña **Hoja2** para acceder a esta hoja.

11. La pestaña resaltada en color blanco, a diferencia de las otras que están sombreadas, nos indica que nos encontramos en la segunda hoja de este libro. Acabe el ejercicio volviendo a la hoja 1.

Para pasar de una hoja a otra basta con pulsar en su correspondiente etiqueta.

La opción **Ir a** del botón Buscar y seleccionar abre el cuadro de diálogo Ir a. En el campo Referencia debemos escribir el nombre de la celda a la que queremos desplazarnos.

31

Mover las hojas e inmovilizar paneles

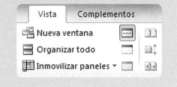

MOVER LAS HOJAS Y CAMBIAR SU ORDEN PUEDE HACERSE arrastrando la pestaña de una hoja hasta el punto en que se desee colocar o utilizando las opciones de su menú contextual. Las funciones Inmovilizar paneles, Inmovilizar fila superior e Inmovilizar primera columna, incluidas en el comando Inmovilizar paneles de la ficha Vista, permiten mantener inmóviles esos elementos de manera que permanezcan visibles al desplazarse por la hoja de cálculo.

1. Imagine que le interesa situar la hoja 2 en primer lugar dentro de la barra de etiquetas de hojas. Haga clic sobre la etiqueta **Hoja2** y arrástrela hasta situarla sobre la etiqueta **Hoja1**.

2. La Hoja2 se sitúa a la izquierda de la Hoja1 y permanece activa. Ahora vamos a situar la Hoja3 delante de la Hoja2. Haga clic con el botón derecho del ratón sobre la etiqueta **Hoja3**.

3. Aparece el menú contextual de la hoja. Haga clic sobre la función **Mover o copiar**.

4. Se abre el cuadro **Mover o copiar**, al que también podemos acceder desde el comando **Formato** del grupo de herramientas **Celdas**, en la ficha Inicio. El apartado **Al libro** permite decidir a qué libro de los activos en este momento desea desplazar o

1

Una de las maneras de desplazar las hojas dentro de un libro consiste en **arrastrar** directamente sus etiquetas hasta el lugar en que se desean colocar.

También se puede acceder al cuadro **Mover o copiar** para indicar en él el lugar del libro donde se desea ubicar la hoja.

010

copiar la hoja seleccionada en el libro actual. Por otro lado, en el cuadro **Antes de la hoja** debemos indicar antes de qué hoja deseamos situar la hoja seleccionada. Seleccione la opción **Hoja2** en ese cuadro y pulse **Aceptar**.

5. Ahora que ya conoce los dos métodos para desplazar las hojas, devuélvalas a sus posiciones originales mediante la técnica de arrastre. Seguidamente aprenderemos a inmovilizar partes de una hoja para que permanezcan visibles aún cuando nos desplacemos por ésta. Haga clic en la pestaña **Vista** de la Cinta de opciones.

6. Imagine que la primera fila de esta hoja va a contener los títulos de una tabla y nos interesa mantenerlos siempre visibles. Haga clic en el comando **Inmovilizar paneles**, del grupo de herramientas Ventana y pulse sobre la opción **Inmovilizar fila superior**. 4

7. Aparece bajo la primera fila de la hoja una línea que nos indica que está bloqueada. 5 Haga clic en la parte inferior de la **Barra de desplazamiento vertical** para comprobarlo. 6

8. Ahora inmovilizaremos también la primera columna. Haga clic de nuevo en el comando **Inmovilizar paneles** y pulse en la opción **Inmovilizar primera columna**.

9. Ahora la fila superior deja de estar bloqueada y es la primera columna la que permanecerá visible aunque nos desplacemos hacia la derecha de la hoja. Compruébelo usando la **Barra de desplazamiento horizontal**.

10. Pulse nuevamente el comando Inmovilizar paneles y seleccione la opción **Movilizar paneles** para devolver a las filas y columnas su estado original.

Fíjese que al tener la primera fila inmovilizada ésta no se mueve cuando desplazamos el resto de las filas. Aunque baje hasta la fila 30, en la parte superior siempre estará la primera. Ocurre lo mismo cuando inmoviliza una columna.

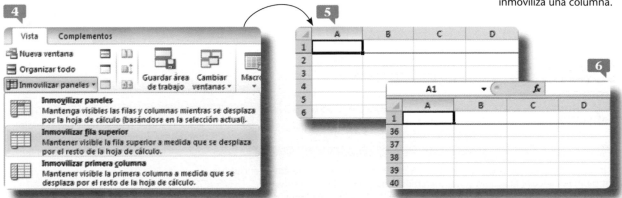

Eliminar hojas

LA ELIMINACIÓN DE UNA HOJA DE UN LIBRO puede llevarse a cabo desde el botón Eliminar de la ficha Inicio de la Cinta de opciones. Del mismo modo, podemos utilizar la opción Eliminar del menú contextual de las etiquetas de las hojas.

1. Comprobaremos en primer lugar que, al intentar eliminar una hoja con contenido, Excel lanza un mensaje de advertencia. Haga clic en el botón de punta de flecha de la herramienta **Eliminar**, en el grupo Celdas de la ficha Inicio y pulse sobre la opción **Eliminar hoja**.

2. Aparece el cuadro **Microsoft Office Excel**, donde el programa nos informa de que la hoja contiene datos que se eliminarán definitivamente si aceptamos la operación. Para no eliminar la hoja, pulse el botón **Cancelar** de este cuadro de diálogo.

3. Por el contrario, si la hoja está vacía, el programa la elimina directamente, como veremos ahora mismo. Haga clic en la etiqueta de una hoja vacía de su libro.

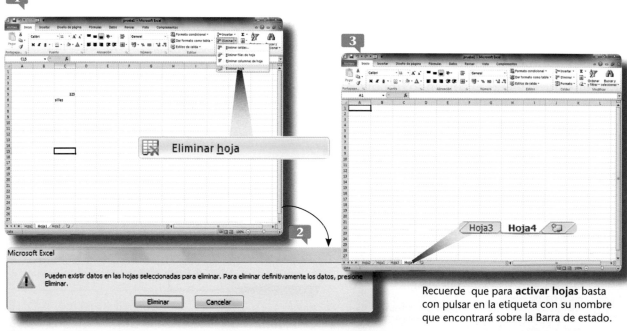

Al intentar eliminar una hoja con contenido, Excel lanza un cuadro de advertencia que nos permite cancelar la acción si no queremos eliminarla definitivamente.

Recuerde que para **activar hojas** basta con pulsar en la etiqueta con su nombre que encontrará sobre la Barra de estado.

4. Pulse nuevamente el botón de punta de flecha de la herramienta **Eliminar**, en el grupo Celdas, y seleccione la opción **Eliminar hoja**. 4

5. Automáticamente la hoja elegida se elimina y el resto de hojas del libro se desplazan hacia la izquierda, ocupando el espacio que ha dejado la hoja suprimida (siempre y cuando ésta no sea la última hoja, en cuyo caso la posición de las anteriores no variará). También es posible eliminar hojas usando la opción adecuada del menú contextual de su etiqueta. Haga clic con el botón derecho del ratón sobre la etiqueta de una de sus hojas y, del menú contextual que se despliega, seleccione la opción **Eliminar**. 5

6. Asegúrese de que el contenido de la hoja que va a eliminar no es importante, ya que no podrá recuperarlo, y pulse el botón **Eliminar** del cuadro de diálogo. 6

011

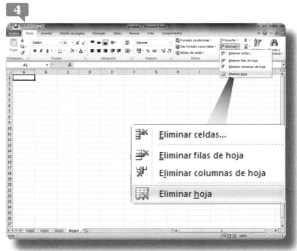

En caso de eliminar una hoja sin contenido, Excel no lanza ningún mensaje de advertencia, sino que la suprime directamente al utilizar la opción Eliminar hoja del botón Eliminar o de su menú contextual.

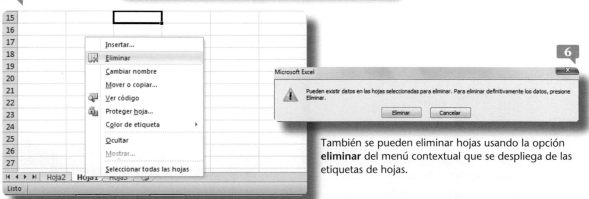

También se pueden eliminar hojas usando la opción **eliminar** del menú contextual que se despliega de las etiquetas de hojas.

Trabajar con plantillas

EN OFFICE EXCEL 2010, es posible basar un libro nuevo en una amplia gama de plantillas que se instalan con el programa, o puede obtener acceso al sitio Web de Microsoft Office Online y descargar plantillas desde el mismo. En este ejercicio abriremos un libro nuevo basado en una de las plantillas que nos ofrece Microsoft Office Online.

1. Haga clic en la pestaña **Archivo** y pulse sobre la opción **Nuevo**.

2. El apartado **Plantillas de Office.com** del menú Nuevo muestra un listado de las diferentes categorías de plantillas que podemos encontrar en el sitio web. La versión 2010 de Excel cuenta con un gran número de plantillas que nos permitirán crear nuevos documentos con un aspecto totalmente profesional. Pulse, por ejemplo, sobre la categoría **Programadores** del panel Plantillas Office.com para ver las plantillas incluidas en ella. 🔲

3. Aparecen todas las plantillas incluidas en esta categoría. 🔲 Al seleccionar cada una de ellas con un único clic, se mostra-

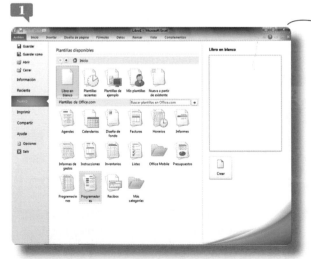

En el apartado **Microsoft Office Online** se muestran las diferentes categorías en que se clasifican las plantillas que ofrece este sitio web.

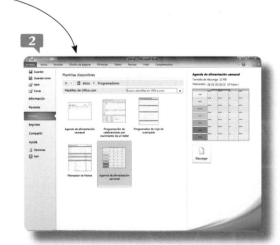

A la derecha de la plantilla seleccionada aparece una ficha con información sobre el tamaño y el tiempo de descarga y sobre la valoración de los usuarios.

012

rá una vista previa de la plantilla en la parte derecha de la pantalla. Haga clic con el ratón sobre la plantilla **Agenda de alimentación semanal** y compruebe en la vista previa la apariencia que tendrá. **3**

4. Ahora, una vez seleccionada la plantilla, pulse el botón Descargar. **4**

5. Se abre así la plantilla seleccionada, que podrá personalizar según sus necesidades. Observe en la Barra de título que también en este caso el nombre de la plantilla va acompañado de un número 1 **5** que la identifica como nuevo documento. Ciérrela pulsando el botón de aspa de su Cinta de opciones.

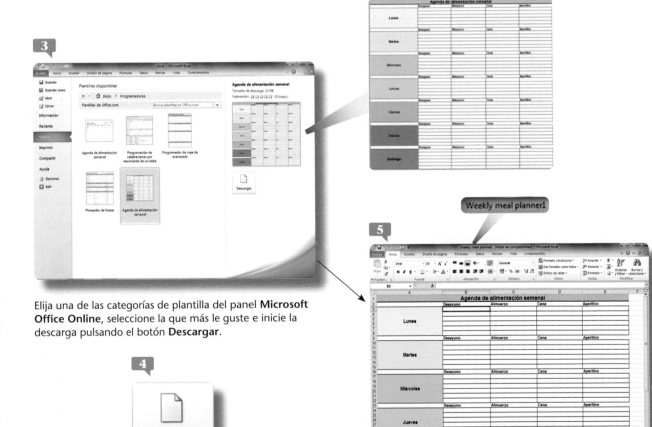

Elija una de las categorías de plantilla del panel **Microsoft Office Online**, seleccione la que más le guste e inicie la descarga pulsando el botón **Descargar**.

Para poder descargar una plantilla debe disponer de la **versión original** de Office. La plantilla se abre mostrando un 1 junto a su nombre en la Barra de título.

Ver las propiedades de los archivos

EL PANEL PROPIEDADES DEL DOCUMENTO permite añadir a los libros datos que facilitan su identificación como su autor, su título, el asunto del que tratan, etc. Parte de esta información puede ser modificada por el usuario, mientras que otra no puede ser editada ya que es el reflejo de la acciones que se llevan a cabo con el fichero.

1. Para empezar, haga clic en la pestaña **Archivo** y seleccione la opción **Información**.

2. En la columna de información de la derecha aparece una vista en miniatura del documento, bajo la cual vemos una ficha de propiedades. Haga clic sobre el comando **Propiedades** y seleccione la opción **Mostrar el panel de documentos**.

3. Aparecerá el cuadro de **Propiedades del documento**, desde donde podemos acceder a las propiedades avanzadas. Haga clic en el comando superior del cuadro, **Propiedades del documento**, y seleccione la opción **Propiedades avanzadas**. 🔲2

4. Se abre así el cuadro de Propiedades del Libro (nombre del libro) mostrando la ficha **General** 🔲3 en la que se listan las

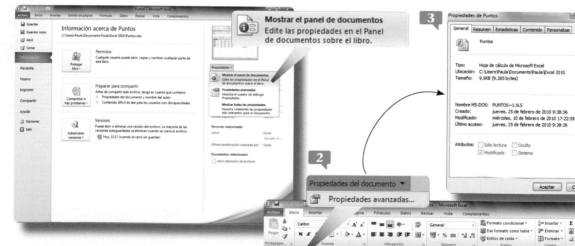

La opción **Propiedades**, incluida en el menú **Información** de la pestaña **Archivo** abre el panel de propiedades del documento. Desde ese panel, puede acceder al cuadro de **propiedades avanzadas**.

características generales del archivo. Pulse en la pestaña **Resumen**.

5. En esta ficha es posible introducir información. En el cuadro de texto **Título** escriba, por ejemplo, la palabra **cobro**.

6. Sitúe el cursor en el campo **Administrador** y escriba su nombre.

7. A continuación, inserte la palabra **contabilidad** en el campo **Categoría**.

8. El campo **Palabras clave** suele utilizarse para introducir palabras por las que, posteriormente, se puede proceder a la búsqueda del archivo. En este campo escriba, por ejemplo, la palabra **cobro**.

9. Pulse en la pestaña **Estadísticas** para comprobar el tipo de información que guarda y haga lo mismo con las pestañas **Contenido** y **Personalizar**.

10. En la ficha Personalizar puede incluir nuevas propiedades para el documento. En el campo **Nombre** seleccione la opción **Departamento**, pulse en el campo **Valor** y escriba el término **contable**.

11. Pulse en el botón **Agregar** para confirmar la acción y salga del cuadro de propiedades avanzadas pulsando el botón **Aceptar**.

Puede comprobar que el panel **Propiedades del documento** se ha actualizado con la nueva información de archivo añadida. Para cerrar este panel, utilice el botón de aspa situado en su extremo derecho.

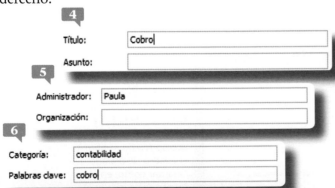

En la ficha Resumen puede introducir **propiedades de tipo estándar** del documento (título, autor, administrador, categoría, palabras clave, etc.). Las fichas General, Estadísticas y Contenido, por su parte, ofrecen información no personalizable acerca del documento.

Desde la ficha **Personalizar** puede añadir nuevos atributos como el departamento, la oficina, la fecha de registro y la de finalización, etc. Al aceptar el cuadro de propiedades, la información se actualizará en el panel correspondiente.

Guardar un libro

LA PRIMERA VEZ QUE SE GUARDA UN LIBRO, Excel pregunta el nombre que se le desea dar y la ubicación donde debe ser almacenado. En ocasiones posteriores, cuando ya se han establecido las condiciones de almacenamiento, el programa guarda directamente el archivo en el mismo lugar donde se hallaba y con el mismo nombre con sólo pulsar el icono Guardar.

1. En este ejercicio aprenderemos a guardar un libro de Excel. Para empezar, pulse sobre la herramienta **Guardar**, cuyo icono muestra un disquete en la **Barra de herramientas de acceso rápido**.

2. El cuadro de diálogo **Guardar como**  se abre la primera vez que se guarda un archivo o al utilizar la opción Guardar como, en ocasiones posteriores. En él debemos especificar el nombre que queremos dar al archivo y la ubicación donde va a quedar almacenado. Por defecto, se encuentra seleccionada la carpeta **Documentos**, donde guardaremos este libro con el nombre que el programa le asigna automáticamente. Pulse el botón **Guardar**.

3. Una vez guardado el libro, si realizamos modificaciones en él y volvemos a activar la función Guardar, ya no aparecerá el cuadro Guardar como, sino que se guardará directamente con las propiedades establecidas anteriormente. Vamos a comprobarlo. En la celda C5 escriba el valor **10** y pulse la tecla **Retorno** para confirmar la entrada.

La primera vez que se intenta guardar un libro usando el icono **Guardar** de la Barra de herramientas de acceso rápido se abre el cuadro de diálogo Guardar como, en el que se debe indicar el nombre del archivo y la ubicación en que quedará almacenado.

014

4. Esta vez, haga clic en la pestaña **Archivo** y pulse sobre la opción **Guardar**.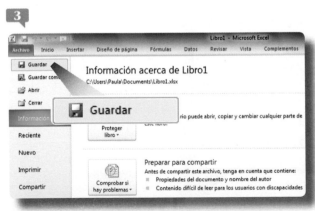

5. Ahora comprobaremos qué ocurre al intentar cerrar un libro que ha sufrido una modificación no almacenada. Sitúese en una celda con contenido, pulse la tecla **Suprimir** para borrarlo y haga clic en el **botón de aspa** de la Cinta de opciones del libro para intentar cerrarlo.

6. Excel nos pregunta si queremos guardar los cambios efectuados en este libro. Si aceptamos, el libro se guardará con las últimas características establecidas y si no, se conservará la versión previa a la supresión del contenido de la celda C5. Pulse el botón **Cancelar** del cuadro Microsoft Office Excel.

7. Nos queda practicar con la opción de guardado **Guardar como**, que nos permite acceder de nuevo al cuadro del mismo nombre para modificar el nombre, la ubicación o el tipo de documento. Haga clic la pestaña **Archivo** y pulse sobre la opción **Guardar como**.

8. Gracias a esta función podemos guardar copias de un mismo documento con diferentes nombres y en diferentes ubicaciones. Observe que, por defecto, aparece la opción **Libro de Excel** en el campo **tipo** de Guardar como, lo que hará que el libro se guarde con la extensión **.xlsx**, propia de los documentos de la versión 2010 de Excel. Pulse el botón **Cancelar**.

9. Para acabar el ejercicio pulse la combinación de teclas **Ctrl. + G**, que también ejecuta la acción de guardar.

Si intenta cerrar el libro sin haber guardado antes los cambios, Excel lanza este mensaje de advertencia.

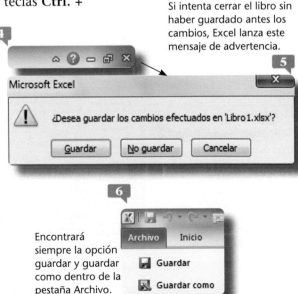

Una vez establecido el nombre y la ubicación de destino del libro, cuando active la función Guardar el programa lo actualizará sin pasar por el cuadro Guardar como.

Encontrará siempre la opción guardar y guardar como dentro de la pestaña Archivo.

Guardar con formato de Excel 97-2003

IMPORTANTE

El habitual formato de libros .xls de las versiones anteriores a la que nos ocupa ha sido sustituido por la nueva extensión **.xlsx**, mientras que el formato de plantillas .xlt ha pasado a ser **.xltx**.

UN LIBRO CREADO EN VERSIONES ANTERIORES a Excel 2010 puede ser abierto en esta versión del programa y viceversa, y un libro creado con Excel 2010 puede ser almacenado con el formato de las versiones anteriores. En este ejercicio volveremos a utilizar el cuadro Guardar como para guardar un libro con formato de Excel 1997 a 2003, esto es, con extensión .xls.

1. Para empezar, haga clic en el la pestaña Archivo y pulse sobre la opción **Guardar como**.

2. Se abre el cuadro de diálogo **Guardar como**. Haga clic en el botón de punta de flecha del campo **tipo**, que muestra por defecto la opción Libro de Excel.

3. Aparecen todos los formatos con que puede ser guardado este libro. Seleccione la opción **Libro de Excel 97-2003**.

4. Tenga en cuenta que al guardar el documento con este formato tendrá dos archivos con el mismo nombre, uno con extensión .xls y otro con extensión .xlsx. Pulse el botón **Guardar**.

5. Veamos ahora otra manera de guardar un documento con formato .xls, quizás más directa que la que acabamos de ver. Pulse nuevamente la pestaña **Archivo**.

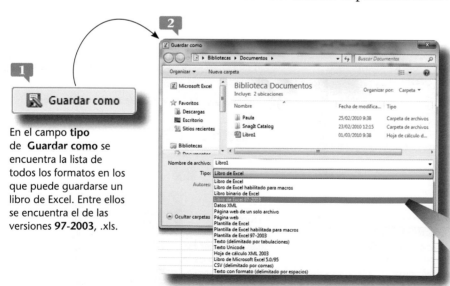

En el campo **tipo** de **Guardar como** se encuentra la lista de todos los formatos en los que puede guardarse un libro de Excel. Entre ellos se encuentra el de las versiones **97-2003**, .xls.

6. Al guardar un documento en formato de Excel 97-2003 aparece una nueva opción en este menú, **Convertir** , que nos permite cambiar nuevamente este documento para convertirlo al formato de Excel 2010. Pulse sobre la opción convertir.

7. Al pulsar sobre esa opción, automáticamente se abre de nuevo el cuadro Guardar como, mostrando ya seleccionada la opción adecuada, **Libro Excel,** en el campo **tipo** de Guardar como. Puesto que ya hemos guardado este mismo documento, no hace falta que repitamos la operación. Pulse el botón **Cancelar.**

8. Para acabar, haga clic en la pestaña **Archivo** y, en el apartado **Documentos recientes** , pulse sobre el libro con formato de Excel 2007 con el que estamos trabajando para abrirlo.

Como ve, los procesos para guardar un libro de Excel 2010 con formato de versiones anteriores son sencillos. Del mismo modo, las versiones anteriores a Excel 2010 pueden abrir libros creados con esta versión del programa si disponen del **Paquete de Compatibilidad** para formatos de archivos de 2010 Microsoft Office System, que permite instalar actualizaciones y convertidores para diferentes versiones de Excel.

Recuerde que el número de **documentos abiertos recientemente** que se lista en el comando Recientes de la pestaña Archivo se establece en el cuadro de opciones de Excel. Estos vínculos permiten abrir libros sin pasar por el cuadro Abrir.

La opción convertir permite guardar un archivo de una versión anterior con el formato de excel 2010.

Guardar como PDF o XPS

INCLUIDO DENTRO DEL CUADRO GUARDAR COMO de la pestaña archivo, se encuentra el campo tipo, con el que es posible convertir de manera rápida y sencilla un libro de Excel en un documento PDF o XPS. Estos formatos facilitan su publicación electrónica con el aspecto que tendrá al imprimirlo.

1. Imaginemos que tenemos que enviar a varias personas el libro con el que estamos practicando para que lo corrijan y añadan comentarios. Haga clic en la pestaña **Archivo**, y seleccione la opción **Guardar como**.

2. Tras seleccionar la ubicación en la que quiere guardar el archivo PDF y haber indicado su nombre haga clic en el botón de punta de flecha del campo **tipo** y seleccione la opción **PDF**.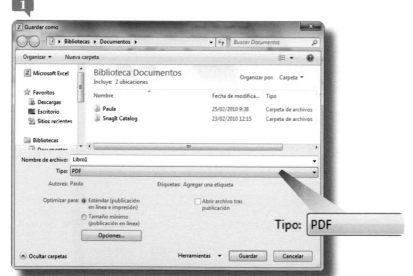

3. Aparecerán varias opciones relacionadas con el formato PDF. Si mantenemos activada la opción **Abrir archivo tras la publicación**, el sistema abrirá el programa apropiado para visualizar el documento. Pulse sobre el botón **Opciones** que habrá aparecido en el cuadro **Guardar como**.

4. En el cuadro **Opciones**  podemos especificar el intervalo de páginas así como indicar si queremos publicar el libro entero,

PDF y XPS son dos de los formatos en los que Excel 2010 permite guardar los archivos a través del cuadro guardar como.

En el cuadro **Opciones** se establecen las condiciones para la publicación.

sólo una selección o las hojas activas, y el tipo de información no imprimible que queremos incluir, entre otras opciones. Mantenga las opciones tal y como se muestran por defecto y pulse el botón **Aceptar**.

5. A continuación pulse el botón **Guardar**.

6. En pocos segundos se crea el documento PDF y se abre el programa de Adobe (**Reader** o **Acrobat**) que tenga instalado en su equipo para mostrar el resultado de la operación. 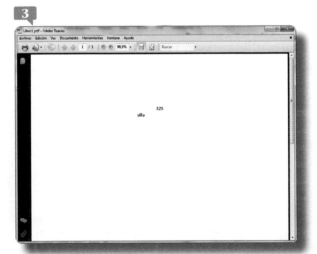 Ciérrelo pulsando el botón de aspa de su Barra de título.

7. El procedimiento que debemos seguir para publicar el mismo libro en formato XPS es idéntico al que acabamos de ver. Haga clic en la pestaña **Archivo**, seleccione la opción **Guardar como** y elija el formato **Documento XPS** en la categoría tipo.

8. Pulse el botón **Guardar**.

9. El archivo con extensión .xps que se ha creado se abre en pantalla con el navegador que tenga establecido como predeterminado en su equipo o con el Visor XPS. Ciérrelo pulsando el botón de aspa de su Barra de título.

016

IMPORTANTE

El formato XPS (XML Paper Specification) es la alternativa de Microsoft al formato PDF, usa la tecnología XML y facilita también el intercambio de documentos.

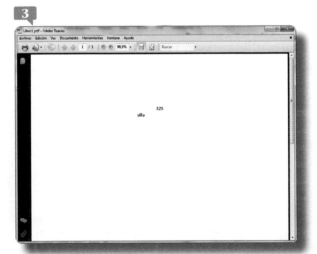

Una vez convertido un libro de Excel en un documento con **formato PDF** deberá disponer de **Adobe Reader** o **Adobe Acrobat** para poder abrirlo y ver el aspecto que tendrá al imprimirlo.

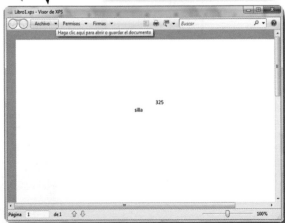

Los libros de Excel convertidos al formato **XPS** se abrirán con el Visor de XPS.

Trabajar con filas y columnas

IMPORTANTE

Todas las opciones con las que se puede cambiar el tamaño y formato de columnas y filas se pueden encontrar en el comando **Formato** del grupo **Celdas** dentro de la ficha de **Inicio**.

LAS CELDAS QUE COMPONEN la hoja de cálculo se organizan en filas y columnas. Las columnas están identificadas por una letra o combinación de letras situadas en su cabecera y las filas por un número situado a su izquierda. Veremos en esta lección el modo de seleccionar columnas y filas completas.

1. Para trabajar con filas y columnas utilizaremos un archivo con datos. Abra el documento puntos.xlsx que ya hemos utilizado anteriormente

2. Haga clic sobre la letra **C** que identifica la tercera columna.

3. Todas las modificaciones que en este momento efectuáramos afectarían a la totalidad de las celdas que contiene la columna C. Haga clic sobre el número **5** situado a la izquierda de la quinta fila.

4. Para seleccionar toda la hoja de cálculo pulse sobre el cuadro gris con punta de flecha situado en la intersección del nombre de la primera columna y la primera fila.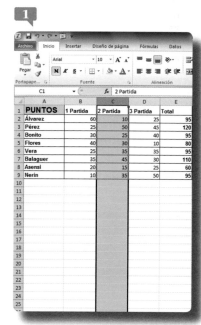

5. Ahora se encuentra seleccionada toda la hoja de cálculo. Para eliminar esta selección, haga clic en la celda **A1**.

6. Las columnas tienen una anchura establecida por defecto de 80 píxeles. Esta anchura es modificable. Si sitúa el cursor entre las letras E y F verá que cambia la forma del puntero del ratón. Haga clic sin liberar el botón izquierdo del ratón para ver el ancho de columna.

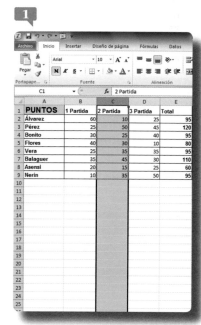

Pulsando en sus cabeceras, puede seleccionar filas y columnas enteras. Cuando una fila o una columna se encuentra seleccionada, los cambios afectarán a todas las celdas que en ella se incluyen.

Para seleccionar toda la hoja, deberá pulsar el botón con una punta de flecha situado en la esquina superior izquierda de la hoja. La deselección se consigue pulsando en cualquier celda.

Haciendo clic con el botón izquierdo entre dos columnas podemos ver cuál es el ancho de la columna que se sitúa en la izquierda.

7. La etiqueta nos indica el ancho de la columna, que ha sido modificada. Las filas tienen una altura predeterminada de 20 píxeles o 15 caracteres, medida que también puede modificarse. Sitúe el puntero entre los números que identifican las filas **6** y **7** y haga clic sin liberar el botón para ver la altura de la fila.

8. Para modificar las dimensiones predeterminadas de una columna, haga clic con el botón derecho del ratón la cabecera de la columna **C** y, en su menú contextual, pulse sobre la opción **Ancho de columna.** 4

9. En el cuadro **Ancho de columna**, inserte, a modo de ejemplo, el valor **6** y pulse el botón **Aceptar** para aplicar el cambio. 5

10. Verá que ahora la columna es mucho más estrecha. Para modificar la altura de una fila, haga clic con el botón derecho del ratón sobre la cabecera de la fila **10** y, en su menú contextual, seleccione la opción **Alto de fila.** 6

11. En el cuadro **Alto de fila**, inserte, por ejemplo, el valor **20** y pulse el botón **Aceptar.** 7

Guarde los cambios realizados pulsando el icono **Guardar** de la **Barra de herramientas de acceso rápido** para dar por acabado el ejercicio.

017

IMPORTANTE

También se puede modificar el ancho y alto de las columnas y celdas de forma manual. Hay que colocar el cursor entre la cabecera de dos columnas y cuando haya cambiado la forma del puntero hacer clic sin liberar de forma que podremos ver cuál es el ancho de la columna. Si desplazamos el ratón hacia la izquierda o derecha sin soltar el botón conseguimos que se modifique el ancho de la columna.

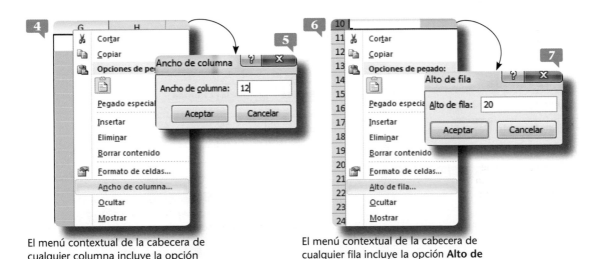

El menú contextual de la cabecera de cualquier columna incluye la opción **Ancho de columna**, que abre el cuadro del mismo nombre que nos permite modificar la anchura de la columna seleccionada.

El menú contextual de la cabecera de cualquier fila incluye la opción **Alto de fila**, que da paso al cuadro del mismo nombre que nos permite modificar la altura de la fila seleccionada.

Autoajustar columnas y filas

EL AUTOAJUSTE ES OTRA de las formas de modificar la anchura de las columnas y la altura de las filas. Al igual que las demás funciones relacionadas, las funciones de autoajuste se encuentran en el botón Formato, en el grupo de herramientas Celdas de la ficha Inicio.

1. En este ejercicio veremos el modo de ajustar las columnas y las filas al contenido de algunas celdas. Seleccione la celda C1 y compruebe como el contenido sobrepasa el ancho de la columna que hemos asignado en el último ejercicio.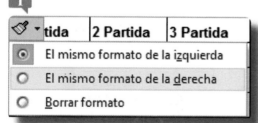

2. Haga clic en el botón **Formato** del grupo de herramientas **Celdas**, en la ficha **Inicio** y pulse sobre la opción **Autoajustar ancho de columna**.

3. Automáticamente toda la columna se ensancha para poder mostrar completo el contenido que la superaba con su tamaño predeterminado. Vamos a recuperar su tamaño predeterminado para llevar a cabo la misma acción mediante otro procedimiento. Pulse el icono **Deshacer** de la Barra de herramientas de acceso rápido.

Utilice la opción **Autoajustar ancho de columna** del botón Formato para que la columna que seleccione se ensanche o se reduzca en función de su contenido.

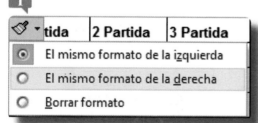

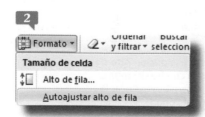

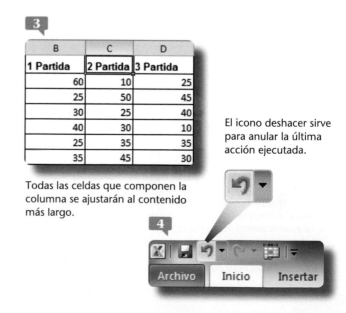

B	C	D
1 Partida	2 Partida	3 Partida
60	10	25
25	50	45
30	25	40
40	30	10
25	35	35
35	45	30

El icono deshacer sirve para anular la última acción ejecutada.

Todas las celdas que componen la columna se ajustarán al contenido más largo.

018

4. Para ajustar de nuevo la anchura de la columna al contenido más largo, haga doble clic en la barra que separa los títulos de las cabeceras de la columna en cuestión y la siguiente.

5. El resultado es el mismo. La columna se ajusta al contenido más largo. Pulse de nuevo en el botón **Formato** y elija esta vez la opción **Ancho de columna**.

6. En el cuadro Ancho de columna 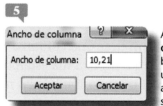, con el que ya había trabajado antes, escriba el valor **10,21** y pulse **Aceptar**.

7. Para autoajustar la altura de las filas a su contenido el procedimiento que debe seguir es idéntico. Arrastre hacia abajo el margen inferior de una de las cabeceras de fila de su hoja para aumentar ligeramente su tamaño.

8. Seleccione esa fila completa pulsando en su cabecera, haga clic en el botón **Formato** y elija esta vez la opción **Autoajustar alto de fila**.

9. Excel ajusta así la altura de la fila seleccionada a su contenido. Puede volver a darle una altura específica accediendo al cuadro **Alto de fila** desde el botón **Formato**. En este caso, sin embargo, dejaremos la hoja tal y como ha quedado y acabaremos el ejercicio guardando los cambios con ayuda del botón **Guardar** de la Barra de herramientas de acceso rápido.

5

Acceda al cuadro **Ancho de columna** desde el botón Formato para dar una anchura específica a la columna que tenga seleccionada.

6

Puede modificar la altura predeterminada de una fila **manualmente** arrastrando su borde inferior.

	A	B	C	D	E
1	**PUNTOS**	1 Partida	2 Partida	3 Partida	Total
2	Álvarez	60	10	25	95
3	Pérez	25	50	45	120
4	Bonito	30	25	40	95
5	Flores	40	30	10	80
6	Vera	25	35	35	95
7	Balaguer	35	45	30	110
8	Asensi	20	15	25	60
9	Nerín	10	35	50	95

7

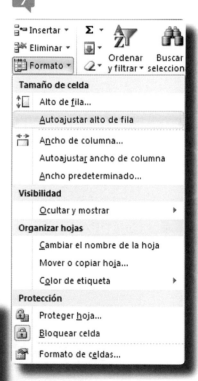

Al utilizar la opción **Autoajustar alto de fila** del botón Formato la altura de la fila seleccionada se ajustará al contenido más alto, reduciéndose o aumentándose.

Insertar filas, columnas y celdas

PARA AÑADIR UNA FILA, UNA COLUMNA O UNA CELDA intermedia debemos utilizar el comando Insertar del grupo de herramientas Celdas, en la ficha Inicio, o bien el menú contextual de cada uno de estos elementos. El número de columnas o filas insertadas de una vez será el mismo que el número de seleccionadas antes de utilizar la función.

1. Para ejercitar la inserción de filas, columnas y celdas seguiremos trabajando con el documento puntos.xlsx. Seleccione la celda **A1** de su hoja y haga clic en el botón de punta de flecha del comando **Insertar**, en el grupo de herramientas **Celdas** de la ficha **Inicio**.

2. Como ve, desde este comando podemos insertar celdas, columnas, filas e incluso hojas. Haga clic sobre la opción **Insertar columnas de hojas.**

3. Una columna se inserta a la izquierda de la seleccionada a la vez que aparece la etiqueta inteligente **Opciones de inserción**. A continuación, haga clic sobre el número **6** en la cabecera de las filas para seleccionar toda esa fila.

4. En este caso, la opción de insertar una columna sería imposible, ya que todas las columnas de esta fila están seleccionadas y no es posible aumentar el número total de las mismas. Haga

En el botón **Insertar** del grupo de herramientas Celdas se encuentran las opciones necesarias para insertar celdas, filas, columnas y hojas.

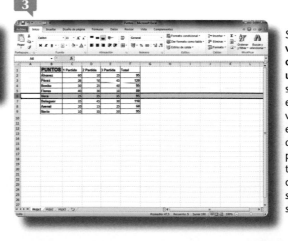

Si desea insertar **varias filas o columnas de una sola vez**, seleccione en la hoja varios de esos elementos antes de proceder. El programa inserta tantas filas o columnas como se encuentren seleccionadas.

clic de nuevo en el botón de punta de flecha de la herramienta **Insertar** y pulse sobre la opción **Filas de hoja**.

5. Finalmente, seleccionaremos las filas 2, 3 y 4. Haga clic sobre la cabecera de la segunda fila, pulse la tecla **Mayúsculas** y, sin soltarla, haga clic sobre la cabecera de la fila **4**.

6. Haga clic con el botón derecho del ratón sobre la cabecera de la fila 2 y, en el menú contextual que aparece, pulse sobre la opción **Insertar**. 5

7. Se añaden así tres nuevas filas 6 que, según la opción seleccionada en las opciones de inserción, adquieren el formato de la fila superior a la primera de las seleccionadas. Haga clic en la celda **A1** para eliminar la selección.

8. Ahora veremos el modo de insertar celdas sueltas en puntos intermedios de la tabla. Seleccione, por ejemplo, la celda **B11**.

9. Haga clic de nuevo sobre el botón de punta de flecha de la herramienta **Insertar** y pulse sobre la opción **Insertar celdas**.

10. Al insertar una celda sola, el programa no puede decidir sin nuestra ayuda si la celda se inserta como parte de una fila o de una columna. Desde este cuadro podemos elegir entre desplazar las celdas hacia la derecha o hacia abajo y también insertar toda una fila o toda una columna. Mantenga seleccionada la opción **Desplazar las celdas hacia abajo** 7 y pulse **Aceptar**.

11. Como seguiremos trabajando con este mismo documento, deshaga la última acción pulsando el icono **Deshacer** de **Barra de herramientas de acceso rápido** y guarde el archivo.

019

IMPORTANTE

Para repetir rápidamente la acción de insertar una columna o una fila, haga clic en el lugar donde desea insertarlas y pulse la combinación de teclas **CTRL+Y**.

7

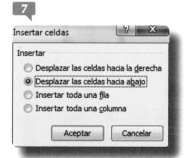

Al insertar una celda, el cuadro de diálogo Insertar celdas nos permite escoger el lugar en el que se insertará.

Seleccione varias filas de su hoja y utilice la opción **Insertar filas de hoja** para agregar el mismo número.

Se insertan tres filas vacías sobre la primera fila que habíamos seleccionado.

Trabajar con las opciones de inserción

LAS OPCIONES DE INSERCIÓN aparecen en pantalla a través de un icono que forma parte de las ya conocidas etiquetas inteligentes. La etiqueta Opciones de inserción aparece en pantalla mostrando distintas opciones, dependiendo de si se trata de una columna o bien de una fila o una celda lo que se va a insertar.

1. Vuelva a abrir el archivo **Puntos.xlsx** y seleccione la celda A6. Haga clic en el botón de punta de flecha de la herramienta **Insertar** del grupo **Celdas** y pulse en la opción **Insertar filas de hojas**.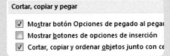

2. De forma automática aparece una fila insertada sobre la seleccionada y el icono de la etiqueta **Opciones de inserción**. Pulse sobre él.

3. En este caso, imagine que desea que el formato de la nueva fila sea igual al de la fila situada bajo la misma. Haga clic sobre el botón de opción correspondiente a **El mismo formato de abajo**.

4. De este modo, la fila insertada adoptará las mismas características y tamaño que la fila inferior. Ahora realizaremos la inserción de una nueva columna. Seleccione la columna C entera pulsando sobre la letra situada en su cabecera.

5. Pulse en el botón de flecha del comando **Insertar** y seleccione la opción **Insertar columnas de hojas**.

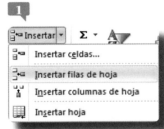

Si una celda, una columna o una fila tienen un formato personalizado diferente del predeterminado, puede utilizar la etiqueta inteligente **Opciones de inserción** para copiarlo en nuevas celdas, filas o columnas insertadas.

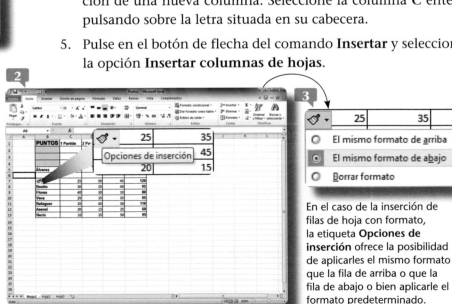

En el caso de la inserción de filas de hoja con formato, la etiqueta **Opciones de inserción** ofrece la posibilidad de aplicarles el mismo formato que la fila de arriba o que la fila de abajo o bien aplicarle el formato predeterminado.

020

6. Aparece una nueva columna tomando como modelo el formato de la situada a la izquierda de la columna seleccionada. En este caso, decidimos que nos interesa adoptar el tamaño de la columna situada a la derecha incluyendo las opciones de formato establecidas en ella. Haga clic sobre el icono **Opciones de inserción** y seleccione la opción **El mismo formato de la derecha**.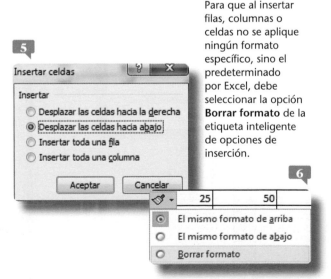

7. Observe que las características de la nueva columna son las mismas que las de la columna situada a su derecha. Compruebe ahora si los datos de la nueva columna también adoptan el mismo formato. Haga clic sobre la celda **C2**, escriba el valor **10** y pulse la tecla **A1** para comprobar el resultado.

8. Como ve, el dato introducido se ha alineado a la derecha. Por último, insertaremos una nueva celda. Haga clic de nuevo sobre **B10**, pulse en el botón de flecha del comando Insertar y seleccione la opción **Insertar celdas**.

9. Pulse el botón **Aceptar** del cuadro **Insertar celdas**.

10. Pulse sobre el icono de las **Opciones de inserción** y seleccione **Borrar formato**.

La celda se inserta sin ningún formato establecido. La etiqueta **Opciones de inserción**, por tanto, nos da la oportunidad de copiar el formato que más nos interese o limitarnos a insertar un elemento con las características preestablecidas por el programa.

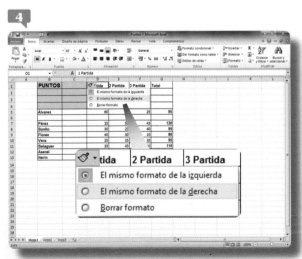

En el caso de las columnas, al insertarlas podemos aplicarles el formato que tiene la columna de su izquierda o de la de la derecha.

Para que al insertar filas, columnas o celdas no se aplique ningún formato específico, sino el predeterminado por Excel, debe seleccionar la opción **Borrar formato** de la etiqueta inteligente de opciones de inserción.

Eliminar filas, columnas y celdas

UNA FILA, UNA COLUMNA O UNA CELDA de una hoja de cálculo puede ser eliminada, tanto si está vacía como si tiene contenido. Esta operación se realiza desde el comando Eliminar del grupo de herramientas Celdas de la ficha Inicio, previa selección del elemento que se va a eliminar. Del mismo modo, es posible eliminar más de uno de estos elementos a la vez seleccionándolos previamente a la vez.

1. Veremos a continuación que el proceso de eliminación de filas, columnas y celdas es similar al de inserción. Seguiremos trabajando con el documento **Puntos.xlsx**. Haga clic sobre la cabecera de la columna **C** para seleccionarla entera. 🔲

2. Despliegue el comando **Eliminar**, en el grupo de herramientas **Celdas** de la ficha **Inicio**, y elija la opción **Eliminar columnas de hoja**. 🔲

3. La columna **D** se ha desplazado hacia la izquierda tomando el nombre y el puesto de la eliminada. Puesto que no nos interesa que la columna desaparezca definitivamente deshaga esta última acción pulsando la combinación de teclas **Ctrl+Z**.

4. A continuación, seleccione la cabecera de la **fila 2**, pulse la tecla **Mayúsculas** y, sin liberarla, haga clic sobre la cabecera de la **fila 4**. 🔲

Seleccione una columna entera de su libro y elimínela usando la opción adecuada del botón **Eliminar** del grupo de herramientas Celdas de la ficha Inicio.

Al utilizar la opción **Eliminar filas de hoja** del botón **Eliminar**, las filas de la hoja suben hasta colocarse en el lugar de las eliminadas.

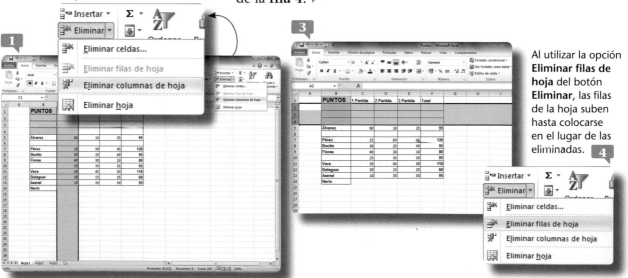

021

5. Despliegue de nuevo el comando **Eliminar**, en el grupo **Celdas**, y pulse sobre la opción **Eliminar filas de hoja**.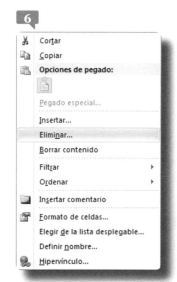

6. Las filas inferiores suben hasta situarse en el lugar de las eliminadas. Ahora veremos cómo eliminar una celda. Seleccione la celda **B7**, que hemos insertado en un ejercicio anterior y ahora está vacía.

7. Pulse de nuevo sobre la punta de flecha del botón **Eliminar** y seleccione la opción **Eliminar celdas**.

8. Aparece el cuadro de diálogo **Eliminar celdas**, en el que debemos indicar si, tras la eliminación, las celdas se desplazarán hacia la izquierda o hacia arriba, o si queremos eliminar toda la fila o toda la columna en la que se encuentra la celda seleccionada. Active la opción **Desplazar las celdas hacia arriba** y pulse **Aceptar**. ⁵

9. También es posible eliminar filas, columnas y celdas usando la opción adecuada de su menú contextual. Haga clic en la cabecera de la **fila 3** para seleccionarla entera.

10. Pulse con el botón derecho del ratón sobre dicha cabecera y, del menú contextual que aparece, elija la opción **Eliminar**. ⁶

11. Para acabar este ejercicio compruebe que hemos eliminado todas las filas, columnas y celdas que hemos insertado dentro de la tabla ⁷ y pulse el comando **Guardar** de la **Barra de herramientas de acceso rápido**.

IMPORTANTE

Las opciones **Eliminar** del menú contextual de las filas, celdas o columnas tiene la misma función que la herramienta **Eliminar** de la Cinta de opciones.

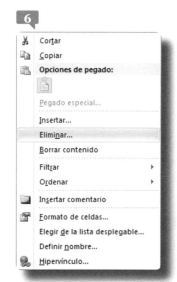

Al igual que para insertar filas, columnas y celdas, también puede eliminarlas usando la opción **Eliminar** de su menú contextual.

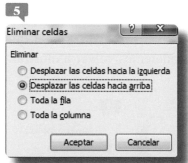

Al eliminar una celda aparece el cuadro **Eliminar celdas**, donde podemos elegir hacia donde se desplazarán las celdas o si queremos eliminar toda la fila o toda la columna.

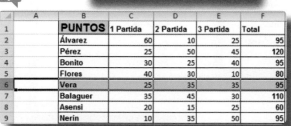

	A	B	C	D	E	F
1		**PUNTOS**	1 Partida	2 Partida	3 Partida	Total
2		Álvarez	60	10	25	95
3		Pérez	25	50	45	120
4		Bonito	30	25	40	95
5		Flores	40	30	10	80
6		Vera	25	35	35	95
7		Balaguer	35	45	30	110
8		Asensi	20	15	25	60
9		Nerín	10	35	50	95

Compruebe que la tabla de su documento tiene el mismo aspecto que la de la imagen y que ha eliminado las filas, celdas y columnas que había insertado dentro de la tabla.

Ocultar columnas, filas y hojas

EN EL COMANDO FORMATO del grupo de herramientas Celdas se encuentra la función Ocultar y mostrar, que incluye las opciones adecuadas para ocultar temporalmente columnas, filas y hojas. Ocultar estos elementos no implica que su contenido se borre o desaparezca de la hoja, sino que sencillamente no se muestra.

1. En este ejercicio practicaremos con la función de ocultación de filas, columnas y hojas. Seguiremos trabajando sobre el libro **Puntos**. Imagine, que quiere ocultar temporalmente una de las hojas de su libro. Sitúese en ella, haga clic en el botón de punta de flecha de la herramienta **Formato**, en el grupo Celdas, y ponga el ratón sobre la opción **Ocultar o mostrar**.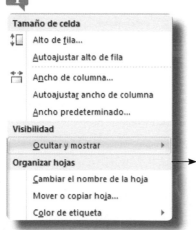

2. Como ve, esta opción nos permite ocultar filas, columnas y hojas y después volverlas a mostrar. En el submenú que aparece en pantalla, pulse sobre la opción **Ocultar hoja**.

3. La hoja 3 se ha ocultado, pero no ha sido eliminada. Para volver a mostrarla podemos utilizar la opción adecuada del comando **Ocultar o mostrar** de la herramienta **Formato** o bien la opción **Mostrar** del menú contextual de las etiquetas de las hojas. Haga clic con el botón derecho del ratón sobre la etiqueta de la hoja 2 y, del menú contextual que aparece, seleccione la opción **Mostrar**.

4. Se abre el cuadro **Mostrar**, en el que debemos seleccionar la hoja que queremos volver a mostrar. En este caso, como sólo

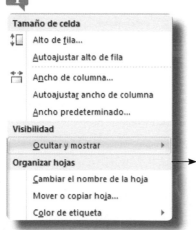

En el apartado **Visibilidad** del menú del botón **Formato** se encuentran las opciones para ocultar y mostrar filas, columnas y hojas de un libro.

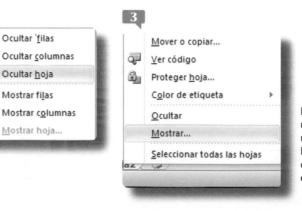

Para mostrar una hoja oculta, use la opción **Mostrar** del menú contextual de las etiquetas de hojas.

hemos ocultado una hoja, manténgala seleccionada en el cuadro de diálogo y pulse el botón **Aceptar**.

5. El proceso que debe seguir para ocultar filas y columnas es idéntico. Seleccione, por ejemplo, la **columna C** de su hoja pulsando en su cabecera.

6. Pulse en el botón **Formato**, haga clic en la opción **Ocultar y mostrar** y elija esta vez el comando **Ocultar columnas**.

7. La celda **C1** permanece seleccionada, como puede ver en el cuadro de nombres. Seleccione con el ratón la cabecera de la **columna B** y, con la tecla **Mayúsculas** presionada, pulse sobre la cabecera de la **columna D**.

8. Pulse nuevamente en el botón **Formato**, haga clic en el comando **Ocultar y mostrar** y elija la opción **Mostrar columnas**.

9. Observe que la columna C ha vuelta a hacerse visible. Ahora realizaremos el mismo proceso con una fila pero usando esta vez su menú contextual. Seleccione la **fila 6** pulsando en su cabecera, haga clic sobre ella con el botón derecho del ratón y elija la opción **Ocultar**.

10. Para acabar el ejercicio, vuelva a mostrar la fila oculta seleccionando la anterior y la posterior, esto es, la 4 y la 5, y una vez seleccionadas haga clic con el botón derecho y pulse sobre la opción **Mostrar**.

IMPORTANTE

Para seleccionar una celda de una fila, de una columna o de una hoja oculta deberemos entrar en el cuadro **Ir a**, al cual se accede desde el comando **Buscar y seleccionar** del grupo de herramientas **Modificar**.

Para mostrar filas o columnas ocultas hay que seleccionar previamente las que se encuentran antes y después para a continuación usar la opción **Mostrar fila** o **Mostrar columna**.

Cuando se intenta mostrar una hoja oculta, se abre el cuadro de diálogo **Mostrar**, donde hay que indicar qué hoja es la que se desea mostrar.

Ocultar celdas y ventanas

UNA CELDA OCULTA no deja de visualizarse en el área de trabajo ni tampoco desaparece de la hoja al imprimirla. Este atributo afecta sólo a la visualización del contenido de la celda en la barra de fórmulas. La función Ocultar ventana tiene sentido sólo cuando existen diferentes ventanas abiertas de un mismo libro.

1. Para realizar los ejercicios de esta lección debe disponer de dos libros abiertos. Puede usar el libro **Puntos** y el archivo **Libro1**, que hemos guardado en un ejercicio anterior. Vamos a empezar ocultando una celda. Seleccione una con contenido, pulse el botón **Formato** del grupo **Celdas**, y haga clic en la opción **Formato de celdas**.

2. Sitúese en la ficha **Proteger** del cuadro de diálogo que aparece, active la casilla de verificación **Oculta** y pulse **Aceptar**.

3. Aparentemente, la función no tiene ningún efecto sobre la celda, cuyo contenido es visible tanto en la hoja como en la Barra de fórmulas. Pulse nuevamente el botón **Formato** y haga clic en la opción **Proteger hoja**.

4. Sin necesidad de establecer una contraseña, pulse el botón **Aceptar** del cuadro **Proteger hoja**.

5. La celda no desaparece, pero su contenido ahora no es visible en la Barra de fórmulas. Pulse nuevamente en el botón **Forma-**

IMPORTANTE

Sepa que si oculta la ventana activa y ésta es la única abierta en esos momentos, lo único que conseguirá es dejar totalmente vacío el área de trabajo.

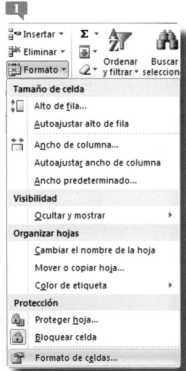

Para ocultar una celda debe acceder a la ficha **Proteger** del cuadro Formato de celda y activar la opción **Ocultar**. Tenga en cuenta que esta propiedad de la celda sólo se apreciará cuando proteja la hoja.

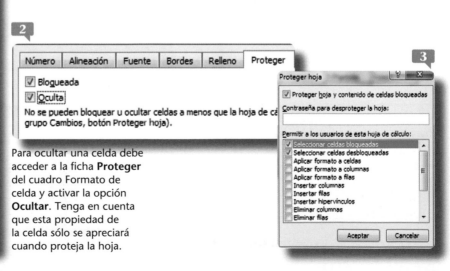

to y observará que la opción **Formato de celdas** no está activa mientras la hoja permanece protegida.

6. A continuación, veremos cómo ocultar ventanas abiertas. Sitúese en la ficha **Vista** de la Cinta de opciones.

7. Recuerde que para poder llevar a cabo este paso deberá disponer de más de un libro abierto. Para ocultar la ventana activa en estos momentos, pulse en el icono **Ocultar ventana** , el situado a la derecha del comando **Organizar todo** del grupo **Ventana**.

8. Automáticamente se oculta la ventana activa y pasa a mostrarse la del segundo libro abierto. Para volver a mostrar la ventana oculta, pulse en el icono **Mostrar ventana**, situado a la derecha del comando Inmovilizar paneles del grupo Ventana.

9. Aparece el cuadro de diálogo **Mostrar** , en el que debemos indicar el libro o la ventana de libro que queremos volver a mostrar. Hágalo y pulse el botón **Aceptar**.

10. Finalmente, veremos cómo se pueden visualizar a la vez varias ventanas abiertas. Pulse en el botón **Organizar todo** del grupo **Ventana**.

11. El cuadro **Organizar ventanas** muestra los diferentes métodos de organización que ofrece Excel 2010. Active, por ejemplo, la opción **Horizontal** y haga clic en **Aceptar**.

12. Pruebe con los otros métodos de organización de ventanas y acabe el ejercicio maximizando una de ellas para que se muestre en primer plano.

En el cuadro **Organizar ventanas** puede elegir entre las cuatro opciones de distribución de ventanas que ofrece Excel 2010. Compruebe cómo actúa cada una de ellas.

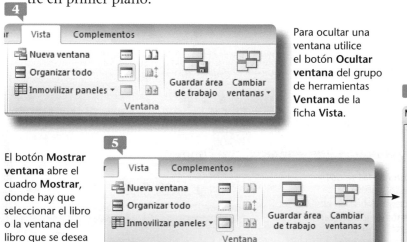

Para ocultar una ventana utilice el botón **Ocultar ventana** del grupo de herramientas **Ventana** de la ficha **Vista**.

El botón **Mostrar ventana** abre el cuadro **Mostrar**, donde hay que seleccionar el libro o la ventana del libro que se desea mostrar.

Deshacer y rehacer

IMPORTANTE

Las acciones que se llevan a cabo desde la pestaña **Archivo** no se pueden deshacer. Si no se puede deshacer una acción, el comando Deshacer se deasactivará y una etiqueta emergente informará que **No se puede deshacer**.

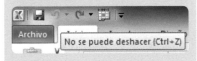

LA FUNCIÓN DESHACER RETROCEDE un paso en la secuencia de trabajo, anulando la última acción ejecutada. Es una función muy utilizada por la comodidad que supone en la reparación de errores cometidos. La función Rehacer, por su parte, ejerce la acción contraria y sólo puede ser ejecutada cuando previamente se ha utilizado el comando Deshacer.

1. Para empezar, seleccione una de las celdas con contenido de su libro y aplíquele los estilos **Negrita y Cursiva** pulsando sobre los iconos **N** y *K* del grupo Fuente de la ficha Inicio. **1**

2. Al ir realizando acciones en la hoja, se activa el icono **Deshacer**, situado junto al de Guardar de la Barra de herramientas de acceso rápido. Haga clic sobre él. **2**

3. La aplicación de cursiva se deshace. Observe que el icono de la herramienta **Rehacer** también está activado en la Barra de herramientas de acceso rápido. Pulsando en el icono **Deshacer**, se anula la última acción realizada, mientras que pulsando sobre el icono Rehacer, ésta vuelve a ejecutarse. Abra la lista de las últimas acciones ejecutadas pulsando en la pequeña flecha adjunta al icono **Deshacer**. **3**

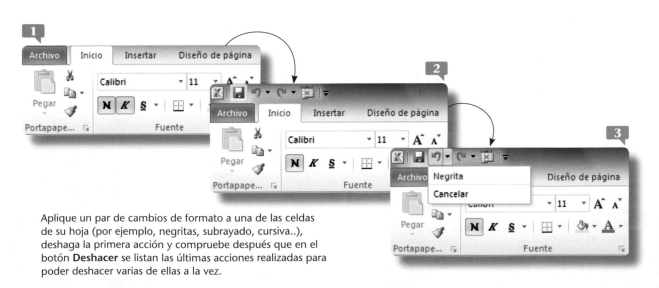

Aplique un par de cambios de formato a una de las celdas de su hoja (por ejemplo, negritas, subrayado, cursiva..), deshaga la primera acción y compruebe después que en el botón **Deshacer** se listan las últimas acciones realizadas para poder deshacer varias de ellas a la vez.

024

4. Debido a que la acción de aplicar cursiva al texto ya ha sido deshecha, ahora tan sólo figura la última acción que queda por deshacer, quitar el atributo negrita al texto seleccionado. En la lista, seleccione con un clic la opción **Negrita**.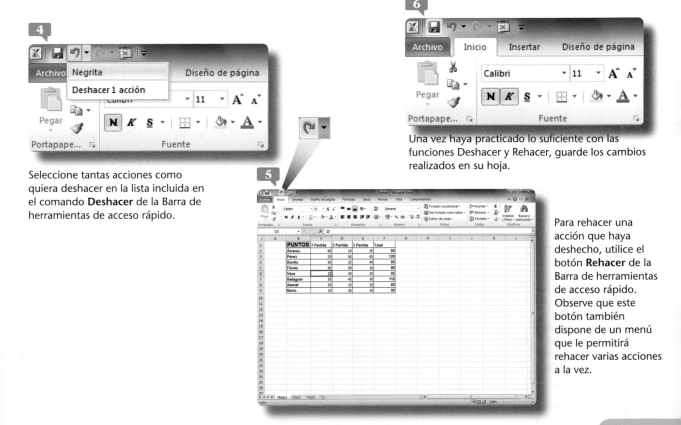

5. El texto de la celda seleccionada deja de estar en negrita. Cuando ya no quede ninguna acción por deshacer, el icono de la herramienta **Deshacer** se desactivará. Ahora practicaremos con el botón **Rehacer**. Este icono se identifica por una flecha en el sentido de las agujas del reloj. Haga clic sobre él.

6. Como ve, se rehace la última acción realizada, esto es, la aplicación de negritas. Vuelva a pulsar sobre el icono **Rehacer**.

7. Se rehace así la aplicación de cursivas. Las acciones Deshacer y Rehacer pueden llevarse a cabo también a través de combinaciones de teclas. Para **deshacer** la última función, basta con pulsar **Ctrl.+Z**; mientras que para **rehacerla** hay que pulsar la combinación **Ctrl.+Y**. Compruébelo y acabe este sencillo ejercicio guardando los cambios mediante la herramienta **Guardar** de la Barra de herramientas de acceso rápido.

IMPORTANTE

Recuerde que la combinación de teclas **Ctrl+Z** equivale al comando **Deshacer**, mientras que la combinación **Ctrl+Y** ejecuta la función **Rehacer**.

Seleccione tantas acciones como quiera deshacer en la lista incluida en el comando **Deshacer** de la Barra de herramientas de acceso rápido.

Una vez haya practicado lo suficiente con las funciones Deshacer y Rehacer, guarde los cambios realizados en su hoja.

Para rehacer una acción que haya deshecho, utilice el botón **Rehacer** de la Barra de herramientas de acceso rápido. Observe que este botón también dispone de un menú que le permitirá rehacer varias acciones a la vez.

Copiar, cortar y pegar

EL MODO MÁS FÁCIL DE COPIAR una celda en otra contigua consiste en arrastrarla por su ángulo inferior derecho hasta la celda de destino. Cuando la copia tiene como destino una celda situada en otro punto de la hoja, en otra hoja del libro o incluso en otro libro, hay que utilizar los comandos Copiar, Cortar y Pegar. Al pulsar uno de los dos primeros, la celda o rango seleccionado queda rodeada por una línea de puntos intermitente que indica que su contenido se halla en el portapapeles. La celda podrá ser copiada repetidamente pulsando el botón Pegar, hasta que se borre del portapapeles.

1. Dedicaremos este ejercicio a conocer en profundidad las herramientas de corte, copia y pegado. Para empezar, sobre el libro Puntos, seleccione la celda **C5**.

2. Los comandos de copia, corte y pegado se encuentran en el grupo de herramientas **Portapapeles** de la ficha **Inicio**. Pulse sobre el comando **Copiar**, que muestra dos hojas en el grupo de herramientas Portapapeles de la ficha Inicio. **1**

3. El marco discontinuo indica que el contenido de la celda se halla en el Portapapeles. **2** Al mismo tiempo, se ha activado la herramienta Pegar. Seleccione una celda libre como celda de destino y pulse en dicha herramienta del grupo Portapapeles. **3**

4. Al utilizar la herramienta **Pegar** y según lo establecido en el cuadro de opciones de Excel, aparece la etiqueta inteligente

1

	A	B	C	D	E
1		**PUNTOS**	1 Partida	2 Partida	3 Partida
2		Álvarez	60	10	25
3		Pérez	25	50	45
4		Bonito	30	25	40
5		Flores	40	30	10
6		Vera	25	35	35
7		Balaguer	35	45	30
8		Asensi	20	15	25
9		Nerín	10	35	50

2

Al copiar una celda, su borde parpadea para indicar que su contenido se encuentra en el Portapapeles.

Para pegar el contenido del Portapapeles en otra celda, pulse el botón **Pegar** de ese grupo.

3

62

025

Opciones de pegado, con la que practicaremos en el siguiente ejercicio. Seleccione otra celda libre y pulse nuevamente el botón **Pegar**.

5. La operación de pegado puede repetirse indefinidamente mientras la celda copiada permanezca en el portapapeles. Para borrar el contenido del portapapeles, pulse la tecla **Escape**.

6. Observe que la celda copiada ya no muestra el borde centelleante y que la herramienta de pegado no está activa. Ahora veremos cuál es la diferencia entre copiar y cortar. Seleccione un rango de celdas con contenido con ayuda de la tecla **Mayúsculas**. 🔳

7. Pulse el botón **Cortar** identificado por unas tijeras en el grupo **Portapapeles** de la ficha **Inicio** 🔳, seleccione una celda vacía como destino y pulse el botón **Pegar**.

8. Como ve, la herramienta Cortar elimina el contenido de las celdas seleccionadas para mostrarlo en las celdas donde se pega. Por último, vamos a ver qué opciones incluye el comando Pegar. Seleccione otra celda con contenido y pulse el icono **Copiar**.

9. Seleccione una celda de destino y pulse sobre la flecha situada bajo el icono **Pegar**.

10. En función del contenido copiado, Excel permite escoger entre pegar una fórmula, sólo el valor que contiene la celda, etc. Si la celda que ha copiado contiene una fórmula, pulse sobre la opción **Fórmulas**, si no, pulse en **Pegar**. 🔳

11. Pulse de nuevo la tecla **Escape** para vaciar el Portapapeles y acabe el ejercicio guardando los cambios realizados en la hoja.

Para conocer el significado los iconos de las opciones de el comando **Pegar**, ponga el ratón sobre uno de ellos y, sin hacer clic, le aparecerá una etiqueta emergente con el nombre de la opción.

	A	B	C	D
1		**PUNTOS**	1 Partida	2 Partida
2		Álvarez	60	10
3		Pérez	25	50
4		Bonito	30	25
5		Flores	40	30
6		Vera	25	35
7		Balaguer	35	45
8		Asensi	20	15

También puede copiar o cortar y pegar un rango de celdas. Recuerde que para seleccionar un rango debe utilizar la tecla Mayúsculas.

El icono **Cortar** muestra la imagen de unas tijeras en el grupo Portapapeles.

Trabajar con las opciones de pegado

OPCIONES DE PEGADO ES EL NOMBRE que recibe la etiqueta inteligente que aparece junto a las celdas o rangos de celdas que acaban de ser pegados. Esta etiqueta, al igual que el resto de etiquetas inteligentes de Excel, tiene como objetivo facilitar el trabajo al usuario presentándole diversas opciones entre las que puede escoger de qué manera desea pegar los datos copiados o cortados.

1. Para empezar, seleccione una celda con contenido formateado de su hoja, por ejemplo la celda **PUNTOS** del libro puntos, y pulse en el icono **Copiar** del grupo de herramientas **Portapapeles**.

2. Elija ahora la celda de destino y pulse sobre el icono **Pegar** del mismo grupo de herramientas.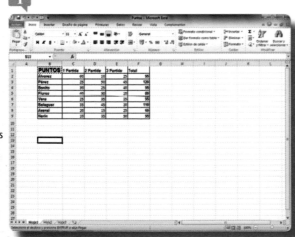

3. Observará que ha aparecido la etiqueta inteligente **Opciones de pegado**. Pulse sobre ella para desplegar todas las opciones que presenta.

4. La opción seleccionada en este momento, **Pegar,** copia en la celda de destino tanto el formato original como su contenido. Pulse sobre el botón de opción **Formato.**

5. La celda de destino aparece vacía ya que de la celda de origen sólo hemos pegado el formato. Para comprobar el resultado, inserte directamente desde su teclado las letras **abc** y luego pulse la tecla **Retorno**.

Para comprobar la utilidad de las opciones incluidas en la etiqueta inteligente **Opciones de pegado** copie y pegue celdas con formato, con fórmulas, etc.

La opción **Formato** en la celda de destino aplica únicamente el formato de la celda de origen, no su contenido.

6. Efectivamente, la celda de destino ha adquirido las mismas características de formato que la de origen. Ahora, vamos a practicar con otra de las opciones que presenta. Seleccione una celda que contenga una fórmula, cualquiera de la columna **Total**, y pulse el botón **Copiar**.

7. Ahora seleccione la celda de destino y pulse en el icono **Pegar**.

8. Haga clic sobre la etiqueta inteligente para desplegar todas sus opciones y seleccione **Mantener ancho de columna de origen**.

9. La celda de destino ajusta el ancho de su columna para obtener las mismas dimensiones que la columna en la que se encuentra la celda de origen. Por último, despliegue nuevamente el menú de opciones de pegado y seleccione la opción **Valores**.

10. Ahora la celda de destino presenta el mismo valor que la de origen pero no el mismo contenido. Es decir, que su contenido no es fruto de una fórmula, como sucede en la celda de origen, sino que simplemente es un valor numérico tal y como puede verse en la Barra de fórmulas. Para acabar, pulse la tecla **Escape** para que desaparezca la etiqueta inteligente y guarde los cambios realizados pulsando el icono **Guardar** de la **Barra de herramientas de acceso rápido**.

La opción **Mantener ancho de columnas de origen** aplica el ancho de la columna en que se encuentra la celda de origen a la columna en que se encuentra la de destino.

Si selecciona y copia una celda que contiene una fórmula puede pegar en la celda de destino **toda la fórmula** (que se ajustará al lugar en que se encuentre), o **sólo el valor** que contenga.

Conocer el Portapapeles

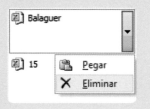
EL PORTAPAPELES ES UN ESPACIO reservado por la suite de Microsoft Office en el que se pueden almacenar hasta 24 elementos copiados por el usuario. Cada vez que se copia un elemento cualquiera, ya sea un fragmento de texto o una celda, éste permanece en el Portapapeles a la espera de que el usuario decida pegarlo allí donde más le convenga.

1. Para acceder al panel de tareas Portapapeles de Office, pulse en el **iniciador de cuadro de diálogo** del grupo de herramientas **Portapapeles**, en la ficha **Inicio**. **1**

2. Se abre así a la izquierda del área de trabajo el Portapapeles. Si no ha copiado ningún elemento, estará vacío. Vamos a activar la opción por la cual se abrirá automáticamente cada vez que copiemos más de un elemento. Pulse en el botón **Opciones**.

3. Como puede ver, se encuentran seleccionadas por defecto las opciones que harán que aparezca su icono en la Barra de tareas y su estado al copiar. Active la opción **Mostrar automáticamente el Portapapeles de Office** **2** y ciérrelo pulsando el botón de aspa de su Barra de título.

4. También existe la posibilidad de mostrar el Portapapeles pulsando dos veces la combinación de teclas **Ctrl.+C**. Ahora hare-

El iniciador de cuadro de diálogo del grupo de herramientas Portapapeles abre el panel de tareas **Portapapeles**. Utilice el botón Opciones de dicho panel para adecuar las características del mismo a sus necesidades.

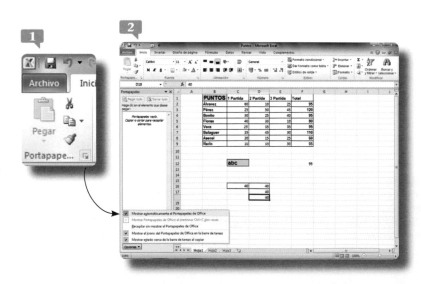

mos aparecer automáticamente el Portapapeles copiando tres celdas de la hoja de cálculo. Seleccione una celda con contenido y pulse el botón **Copiar**. Repita la operación dos veces más en distintas celdas.

5. Con sólo copiar dos elementos ya ha aparecido el Portapapeles mostrándolos. Además, según lo establecido en sus opciones, un icono en la **Barra de tareas** nos informa de su contenido.  El botón **Pegar todo** pega todos los elementos del Portapapeles allí donde indique y el botón **Borrar todo** elimina los elementos del Portapapeles dejándolo vacío. Seleccione una celda vacía como celda de destino en la que pegará alguno de los elementos del Portapapeles.

6. Sitúe el cursor sobre el primer elemento del Portapapeles, pulse sobre la flecha que aparece sobre él y seleccione la opción **Pegar**.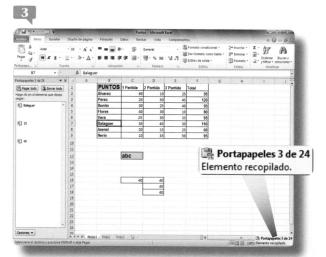

7. Vea que el Portapapeles sigue mostrando los mismos elementos. Haga clic en otra celda libre y luego pulse el botón **Pegar todo** del Portapapeles.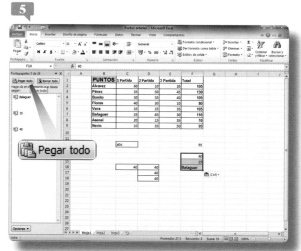

8. El Portapapeles ha copiado todos los elementos en celdas contiguas. En este caso, al tratarse de más de un elemento pegado a la vez, la etiqueta inteligente Opciones de pegado tiene menos opciones disponibles. Por último, elimine todo el contenido del Portapapeles pulsando el botón **Borrar todo** y ciérrelo pulsando su botón de aspa.

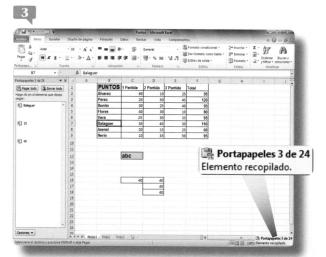

Si la opción **Mostrar el icono del Portapapeles de Office en la barra de tareas** está activada, cuando copie más de un elemento aparecerá el estado del Portapapeles en esa ubicación.

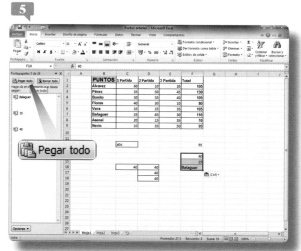

Si desea copiar de una sola vez todos los elementos incluidos en el Portapapeles, utilice el botón **Pegar todo**. Para vaciarlo, use el botón **Borrar todo**.

Buscar y reemplazar datos

IMPORTANTE

Recuerde que la combinación de teclas para abrir el cuadro Buscar y reemplazar en la ficha Buscar es **Ctrl.+B** y en la ficha Reemplazar es **Ctrl.+L**.

UNA FORMA RÁPIDA DE MODIFICAR los datos es la función Buscar y su auxiliar Reemplazar. Estas funciones son especialmente útiles en hojas de cálculo muy extensas con un gran número de filas o columnas y comparten espacio en el cuadro de diálogo Buscar y reemplazar.

1. En este ejercicio aprenderá el procedimiento que debe seguir para buscar y reemplazar datos en un documento. Para ello, supondremos que disponemos de un libro con un alto grado de contenido, es decir, muy amplio y con muchos valores. Para empezar, haga clic en el comando **Buscar y seleccionar** del grupo de herramientas Modificar de la ficha Inicio y pulse en la opción **Buscar**. 1

2. Se abre el cuadro de diálogo **Buscar y reemplazar** con la ficha Buscar activa. Suponga que quiere localizar todas las celdas que contengan una puntuación de 25, por ejemplo. Escriba ese número en el campo Buscar y pulse el botón **Buscar siguiente**. 2

3. Automáticamente se selecciona la primera celda de la hoja cuyo contenido coincide con el indicado. Siga pulsando el botón **Buscar siguiente** para desplazarse a las siguientes coincidencias.

4. Para que se muestren en el cuadro todos los resultados de la búsqueda, pulse el botón **Buscar todos**. Después, ciérrelo pulsando el botón **Cerrar**.

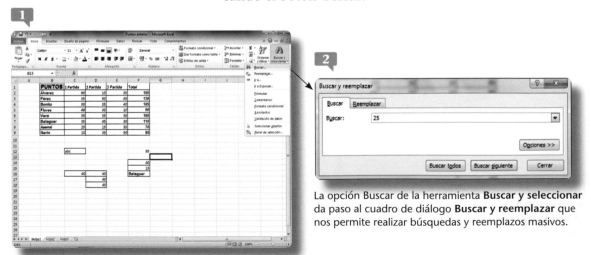

La opción Buscar de la herramienta **Buscar y seleccionar** da paso al cuadro de diálogo **Buscar y reemplazar** que nos permite realizar búsquedas y reemplazos masivos.

028

5. Suponga ahora que debe reemplazar una cadena por otra. Para no tener que hacerlo manualmente, puede utilizar la función Reemplazar. Pulse de nuevo en el botón **Buscar y seleccionar** y haga clic en **Reemplazar**.

6. El programa recuerda la última búsqueda efectuada. Imagine que tiene que cambiar ese valor todas las veces que aparece por el valor 25. Pulse en el campo **Reemplazar con**, escriba el valor **35** y haga clic en **Reemplazar**.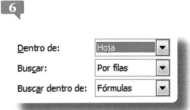

7. De este modo el primer valor 25 se sustituye por el valor 35. Para sustituir todos los registros de forma automática pulse el botón **Reemplazar todos**.

8. Podrá comprobar que todos los valores han sido sustituidos. Cuando acaba el proceso, Excel lanza este cuadro informativo. Ciérrelo pulsando el botón **Aceptar**.

9. Antes de cerrar el cuadro **Buscar y reemplazar** y dar por acabado este ejercicio, veamos las opciones avanzadas de búsqueda que nos ofrece Excel. Pulse en el botón **Opciones**.

10. Además de poder determinar el formato de las celdas de búsqueda y reemplazado, es posible especificar la hoja donde se debe buscar o bien activar la opción **Libro**, en el campo **Dentro de**, para buscar en todas sus hojas. Además, es posible buscar por filas o por columnas y especificar si se desea buscar el valor de las celdas o sus fórmulas subyacentes. Oculte las opciones de búsqueda avanzadas pulsando en el botón **Opciones** y cierre el cuadro **Buscar y reemplazar** pulsando el botón **Cerrar**.

6

Dentro de:	Hoja	▼
Buscar:	Por filas	▼
Buscar dentro de:	Fórmulas	▼

Puede especificar diferentes opciones de búsqueda en el cuadro **Buscar y reemplazar** pulsando en el botón **Opciones**.

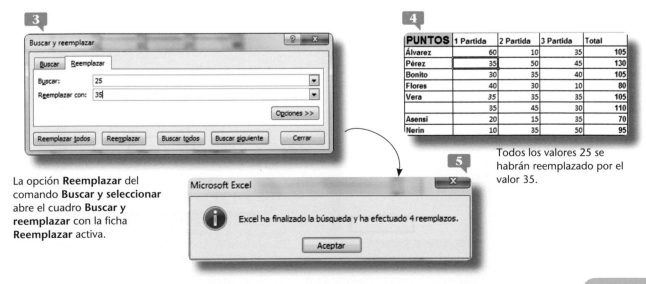

3

La opción **Reemplazar** del comando **Buscar y seleccionar** abre el cuadro **Buscar y reemplazar** con la ficha **Reemplazar** activa.

4

PUNTOS	1 Partida	2 Partida	3 Partida	Total
Álvarez	60	10	35	105
Pérez	35	50	45	130
Bonito	30	35	40	105
Flores	40	30	10	80
Vera	35	35	35	105
	35	45	30	110
Asensi	20	15	35	70
Nerín	10	35	50	95

Todos los valores 25 se habrán reemplazado por el valor 35.

5

Microsoft Excel

Excel ha finalizado la búsqueda y ha efectuado 4 reemplazos.

Aceptar

Conocer los tipos de datos

LOS DATOS QUE PUEDEN INTRODUCIRSE en una celda de Excel pueden ser fórmulas o de tipo valor fijo. Los valores fijos se dividen a su vez en tipo texto, numéricos o de fecha. Cualquier dato precedido de un apóstrofo es considerado como un texto, ya sea un valor numérico o una formulación matemática.

1. En este ejercicio conoceremos los diferentes tipos de datos que se pueden introducir en las celdas de Excel. Para empezar, seleccione la celda **B5**, escriba, por ejemplo, la palabra **casa** y pulse la tecla **Retorno**.

2. Por defecto, la cadena de texto se alinea por la izquierda.  Ahora inserte la cifra **15** en la celda **B6** y presione la tecla **Retorno**.

3. La cadena numérica se alinea por la derecha. Desplácese una celda hacia arriba pulsando en la **tecla de dirección hacia arriba**.

4. Ahora vamos a editar de nuevo la celda B6. En la **Barra de fórmulas**, haga clic justo delante del número **15**, pulse la tecla apóstrofo y, después, la tecla **Retorno**.

5. El dato se considera ahora texto y no pueden establecerse cálculos numéricos con él. Observe que en la esquina superior

De manera predeterminada, los textos se alinean a la izquierda de la celda y los números, a la derecha.

Un apóstrofo delante de cualquier valor numérico lo convierte en un valor de texto, por lo que no podrán realizarse operaciones matemáticas con él.

029

izquierda de la celda destaca un triángulo de color verde. Si selecciona dicha celda de nuevo, emergerá una etiqueta con un símbolo de exclamación: es la etiqueta encargada de la comprobación de errores en los datos introducidos en las celdas. Seleccione la celda **B6**, sitúe el cursor sobre la etiqueta de comprobación de errores, lea el mensaje y haga clic sobre su icono para comprobar todas las opciones que presenta.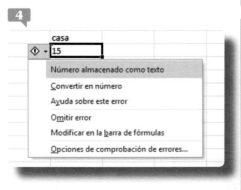

6. Vuelva a pulsar sobre la etiqueta para cerrar el menú abierto.

7. Veamos a continuación cómo actúa el programa en referencia a los datos de tipo fecha. Seleccione la celda **B7**, introduzca la cifra **25** y pulse el botón **Introducir**.

8. Haga clic en el botón **Formato** del grupo de herramientas **Celdas**, en la ficha **Inicio** de la Cinta de opciones.

9. El menú contenido en este comando nos permite modificar el tamaño de las celdas, ocultarlas y volverlas a mostrar, organizar las hojas y establecer opciones de protección de éstas. Pulse sobre la opción **Formato de celdas**.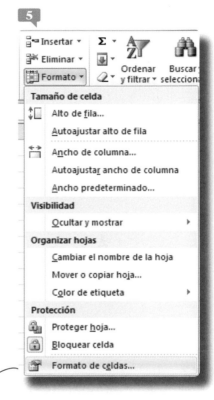

10. La ventana **Formato de celdas** se abre mostrando la ficha **Número** activa. En la lista de categorías, seleccione **Fecha**, elija después uno de los formatos disponibles y pulse **Aceptar**.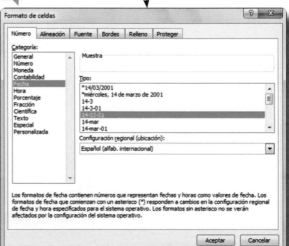

Como puede ver, también las fechas se alinean por defecto a la derecha de la celda, como si de un valor numérico se tratara.

Cuando el número de una celda tiene formato de texto o está precedido por un apóstrofo aparece una etiqueta que incluye un menú de opciones entre las que se encuentran las que permiten convertirlo en número definitivamente u omitir ese error.

La opción **Formato de celdas** da paso al cuadro de diálogo del mismo nombre, desde el que es posible, entre otras opciones, modificar el tipo de dato que se ha introducido en una celda.

Editar y borrar datos

SI SE SELECCIONA UNA CELDA CON DATOS y se escribe nuevamente desde el teclado, los nuevos datos se superponen a los anteriores sustituyéndolos completamente. Para añadir texto a una celda que ya contiene datos de este tipo sin eliminar los existentes, hay que editarla.

1. Aunque en lecciones anteriores ya hemos aprendido a introducir datos, seguiremos practicando con esta acción en este ejercicio. Seleccione la celda **B5** pulsando sobre ella. 🗨1

2. Si en estos momentos introdujéramos nuevo texto desde el teclado, éste sustituiría completamente al anterior. Para efectuar modificaciones sobre el contenido sin eliminarlo, hay que abrir o editar la celda. Haga doble clic en la celda, al final de la palabra escrita en ella. 🗨2

3. El cursor de texto se sitúa en el punto donde se ha pulsado. En estos momentos, la celda se comporta como un cuadro de texto y podemos desplazarnos con las flechas habituales del teclado o eliminar letras con la tecla **Suprimir**. Pulse la **barra**

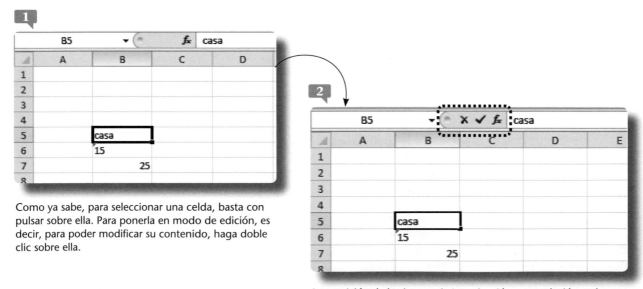

Como ya sabe, para seleccionar una celda, basta con pulsar sobre ella. Para ponerla en modo de edición, es decir, para poder modificar su contenido, haga doble clic sobre ella.

La aparición de los iconos de introducción y cancelación en la Barra de fórmulas indica que la celda seleccionada se encuentra en modo de edición.

030

espaciadora, introduzca la palabra **nueva** y pulse la tecla **Retorno** para hacer efectiva la introducción.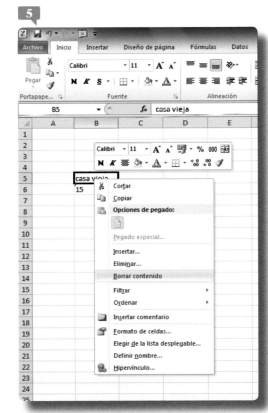

4. Nuevamente, sitúese en la celda **B5** pulsando sobre ella.

5. La tecla **F2** edita también la celda y sitúa el cursor de texto al final del mismo. De todas maneras, cuando la **Barra de fórmulas** está visible, como es el caso, la mejor forma de editar la celda es situar el cursor en el punto exacto de la misma. Haga clic delante de la palabra **nueva** en la **Barra de fórmulas**.

6. Suprima la palabra nueva para practicar escriba por ejemplo **vieja** y puelse el la tecla **Retorno**.

7. Para acabar, veremos otro modo de eliminar el contenido de una celda. Haga clic con el botón derecho del ratón sobre la celda **C5**.

8. Del menú contextual que se despliega, elija con un clic la opción **Borrar contenido** y compruebe cómo automáticamente desaparece el valor que contenía la celda seleccionada.

3

	A	B	C	D
B6			fx	'15
1				
2				
3				
4				
5		casa nueva		
6		15		
7		25		

Al editar una celda, puede confirmar la introducción de datos pulsando la tecla **Retorno**, en cuyo caso se seleccionará la celda inmediatamente inferior según las propiedades predeterminadas del programa, o bien pulsando el icono **Introducir** de la Barra de fórmulas, en cuyo caso ese mantendrá seleccionada la celda en edición.

4

	A	B	C	D
1				
2				
3				
4				
5		casa vieja		
6		15		
7		25		

5

La opción **Borrar contenido** del menú contextual de una celda elimina todo el contenido de dicha celda.

Introducir fórmulas

LAS FÓRMULAS SON LOS ELEMENTOS ESENCIALES de una hoja de cálculo. Introduciendo estos elementos en las celdas, convertimos la hoja en una calculadora que actualiza los resultados cada vez que se modifica una variable.

1. La escritura de fórmulas en Excel 2010 es más sencilla que en versiones anteriores gracias a elementos como la Barra de fórmulas redimensionable, que cambia de tamaño automáticamente para poder albergar fórmulas largas y complejas, y la función **Autocompletar**. En este ejercicio, introduciremos algunas fórmulas sencillas utilizando valores constantes y referencias a otras celdas. Seleccione la celda **C8**.

2. La suma de dos valores constantes es la fórmula más sencilla que puede introducirse. Introduzca la fórmula **=5+6** 🔲 directamente desde su teclado y pulse el botón **Introducir**.

3. El programa muestra en la celda el resultado de la operación, pero en la **Barra de fórmulas** podemos ver el contenido real de la celda C8. 🔲 Seleccione con un clic la celda **C10**.

4. En la celda seleccionada, introduciremos una fórmula igualmente sencilla pero referenciada a la celda C8. Haga clic en la **Barra de fórmulas** e introduzca desde su teclado la fórmula **=5+C8**.

Las fórmulas pueden introducirse directamente en la celda o bien en la Barra de fórmulas y siempre deben ir precedidas del signo = que las identifica como tales.

Cuando una celda contiene una fórmula, la Barra de fórmulas muestra dicha fórmula, mientras que en la celda aparece el resultado de la misma.

031

5. Observe que al escribir la referencia de la celda C8, Excel ha marcado de color azul los bordes de la celda en cuestión. **3** Pulse el botón **Introducir** para hacer efectiva la entrada de la fórmula.

6. El asterisco es el signo utilizado para expresar el producto y la barra inclinada se utiliza para la división. Seleccione la celda **C12**.

7. Introduciremos ahora una nueva fórmula, utilizando únicamente valores referenciados. Escriba la fórmula **=C8*C10**. **4**

8. Al igual que ocurrió en la celda C10, las dos celdas aquí referenciadas se marcan en color azul y verde respectivamente al ser introducidas en la fórmula. Pulse la tecla **Retorno** para hacer efectiva la fórmula y seleccione de nuevo la celda **C12**.

9. Como ve, la celda en cuestión muestra el resultado de la multiplicación mientras que la Barra de fórmulas muestra la fórmula introducida. Observe que en la **Cinta de opciones** disponemos de la ficha **Fórmulas**, donde se incluyen todas las herramientas de introducción y edición de fórmulas. Aunque trabajaremos más adelante con algunas de estas herramientas, veamos el contenido de la ficha. Haga clic en su pestaña.

10. En esta ficha **5** disponemos de un asistente para la introducción de funciones, de una biblioteca de funciones de todos los tipos, etc. Para acabar este sencillo ejercicio en el que hemos tenido un primer contacto con las fórmulas, sitúese de nuevo en la ficha **Inicio** pulsando sobre su pestaña de la Cinta de opciones.

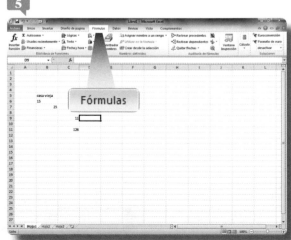

4

Cuando una fórmula hace referencia a varias celdas, cada una de ellas queda resaltada con un color de borde diferente.

3 Cuando una fórmula hace referencia a una celda, ésta queda resaltada con un borde azul.

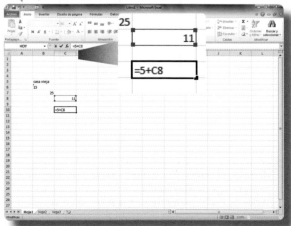

En la ficha **Fórmulas** de la Cinta de opciones se encuentran las herramientas necesarias para trabajar con fórmulas.

Editar una fórmula

LAS FÓRMULAS SE EDITAN de la misma forma que el texto: escribiéndolas directamente en la celda o desde la Barra de fórmulas. La forma más rápida de modificar una fórmula es haciendo doble clic en la celda que la contiene. El punto de inserción aparece dentro de la celda para realizar los cambios oportunos.

1. Empezaremos introduciendo algunas fórmulas para luego modificarlas. Seleccione la celda **A1** y escriba la fórmula =5+6. 🔲1

2. A continuación, seleccione la celda **A3** e introduzca la fórmula **=10+A1** y tras pulsar retorno introduzca la fórmula **=A1*A3** en la celda **A5**, 🔲2 y vuelva a pulsar la tecla **Retorno**.

3. Para clarificar el ejemplo, eliminaremos el contenido del rango de celdas ocupadas, en este caso desde la B5 hasta la C12. Seleccione la celda **B5**, pulse la tecla **Mayúsculas** y, sin liberarla, seleccione en la celda **C12**. 🔲3 Pulse la tecla **Suprimir**.

4. Podemos proceder de diferentes modos para modificar las fórmulas. Haga doble clic sobre la celda **A1**, pulse la tecla **Retroceso** para borrar el número **6** y escriba el número **3**.

Puede trabajar con fórmulas sencillas, como la de la imagen 1, o bien con fórmulas en las que uno, varios o todos los elementos sean otras celdas, como las de la imagen 2. En este último caso, el resultado dependerá de los valores contenidos en dichas celdas y se irá actualizando a medida que éstas se modifiquen.

Para seleccionar un **rango de celdas** como se muestra en la imagen haga clic en la primera celda del rango y, después, arrastre hasta la última celda, o bien mantenga pulsada la tecla **Mayúsculas** mientras presiona las teclas de flecha para extender la selección o seleccione directamente el último elemento del rango.

032

5. Pulse el botón **Introducir** de la Barra de fórmulas y observe el cambio en todas las celdas que contienen fórmulas en las que interviene la **A1**. 4

6. Veamos otro modo de modificar fórmulas. Seleccione la celda **A3** y haga clic en la **Barra de fórmulas** situando el cursor antes de la referencia de celda **A1**.

7. Elimine la referencia **A1** pulsando dos veces la tecla **Suprimir** y seleccione la celda **A2** con el ratón. 5

8. Observe que la celda **A2** ahora aparece seleccionada por unos bordes centelleantes de color azul. Pulse la tecla **Retorno** para confirmar la modificación.

9. Dado que la celda **A2** está vacía, el resultado de la función cambiará, ya que el valor numérico de una celda vacía equivale a **0**. Si ahora quisiera eliminar esta fórmula y sustituirla por otra, bastaría con situarse en la celda que la contiene y escribir la nueva fórmula. Seleccione la celda **A3** 6 y pulse la tecla **Suprimir** para eliminar todo su contenido.

10. Guarde los cambios pulsando el botón **Guardar** de la **Barra de herramientas de acceso rápido**.

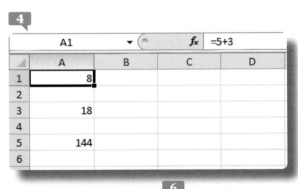

La fórmula insertada en la celda **A1** está formada por constantes, es decir, números o valores de texto escritos directamente.

La referencia **A2** indica que la fórmula se calculará en función del contenido de dicha celda.

Los signos (suma +, multiplicación *, división /, potencia ^), se denominan operadores.

La función Autosuma

LA PRINCIPAL FINALIDAD DE LA FUNCIÓN AUTOSUMA es agilizar la introducción de las funciones más habituales. Al ejecutar esta función, siempre aplica como primera opción la función Suma y establece, de acuerdo con su propia lógica, cuál es el rango de celdas sobre el que debe aplicarse. El usuario siempre tiene la oportunidad de variar el rango y la función de acuerdo con sus intereses.

1. Seguiremos trabajando sobre el mismo documento, en el que practicaremos con algunas de las funciones de la herramienta **Autosuma**. En primer lugar, haga clic en la celda **A2**, escriba el número 5 y pulse **Retorno**.

2. Ahora introduciremos la función **Autosuma** en la celda **B1**. Haga clic en dicha celda para seleccionarla.

3. Pulse en la pestaña **Fórmulas** de la Cinta de opciones.

4. Haga clic sobre el botón **Autosuma**, en el grupo de herramientas **Biblioteca de funciones**.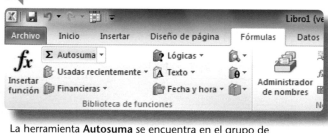

5. Automáticamente, Excel considera que la función que nos interesa es la suma. Por ello, muestra la función correspondiente a la suma de las celdas que están a su izquierda, en este caso, la celda **A1**. Ampliaremos el rango que esta función debe sumar. Pulse la tecla **Mayúsculas** y, sin liberarla, haga clic sobre la celda **A2**.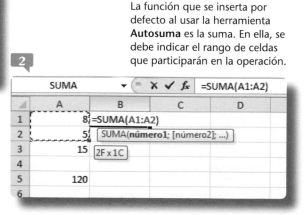

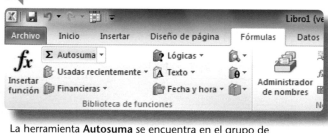

La herramienta **Autosuma** se encuentra en el grupo de herramientas **Biblioteca de funciones** de la ficha **Fórmulas**.

La función que se inserta por defecto al usar la herramienta **Autosuma** es la suma. En ella, se debe indicar el rango de celdas que participarán en la operación.

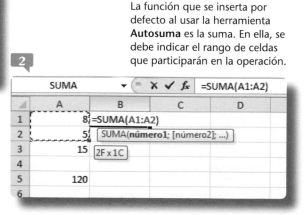

6. Ahora el valor de la celda B1 se ha modificado y refleja los cambios que acabamos de aplicar. Pulse la tecla **Retorno** para confirmar la entrada de esta función.

7. Compruebe que el valor que aparece en la celda B1 corresponde a la suma de los valores de las celdas A1+A2. Ahora insertaremos la función Máx en la celda B2. El resultado debe corresponder al valor más alto de todas las celdas que seleccionemos. Pulse sobre la punta de flecha del botón **Autosuma** y seleccione la función **Máx**. **3**

8. Excel selecciona de forma automática la celda B1. Cambiemos el rango de celdas implicado en esta función. Seleccione la celda **A1**, pulse la tecla **Mayúsculas** y, sin liberarla, pulse sobre la celda **A5**. **4** Después, pulse **Retorno**.

9. Como ve, el resultado de la celda **B2** corresponde al valor más alto comprendido en el rango de celdas seleccionado. Ahora insertaremos en la celda **B3** una última función a través de la Autosuma: el promedio. Esta función calcula el promedio de los valores del rango seleccionado para la función. Haga clic sobre la punta de flecha de la herramienta **Autosuma** y seleccione la función **Promedio**. **5**

10. En este caso, Excel selecciona las celdas B1:B2 y calcula el promedio de ambas. Pulse la tecla **Retorno** para aceptar la función insertada. **6**

033

IMPORTANTE

Se pueden seleccionar celdas no contiguas utilizando la tecla Control. Se selecciona una celda, se pulsa Control y sin soltar la tecla se van seleccionando las celdas necesarias.

	A	B	C	
2	5	120		
3	15	66,5		
4				
5	120			
6				
7				
8				
9				

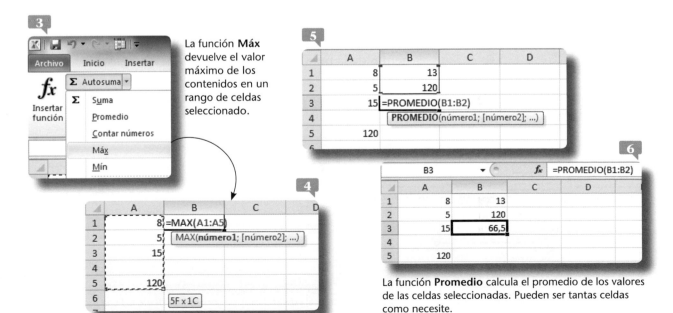

La función **Máx** devuelve el valor máximo de los contenidos en un rango de celdas seleccionado.

La función **Promedio** calcula el promedio de los valores de las celdas seleccionadas. Pueden ser tantas celdas como necesite.

Crear y utilizar listas

UNA LISTA ESTÁ FORMADA por una serie de palabras o cifras relacionadas entre sí y con un orden establecido entre ellas. Al introducir sólo una de estas palabras en una celda, Excel la reconoce como parte de una lista y es capaz de continuar rellenándolas. Las únicas listas que el programa incluye por defecto son las constituidas por los días de la semana y los meses del año.

1. En este ejercicio agregaremos una nueva lista personalizada a las ya existentes. Suponga que trabaja en un restaurante y que necesita confeccionar periódicamente la carta de su establecimiento. Haga clic en la pestaña **Archivo** y pulse sobre el comando **Opciones**.

2. Se abre el cuadro **Opciones de Excel**, donde podemos configurar todas las opciones y características del programa según nuestras preferencias. Haga clic sobre la ficha **Avanzadas**, baje la Barra de desplazamiento vertical de esta ficha y en el apartado **General** haga clic en el botón **Modificar listas personalizadas**.

3. En el cuadro **Listas personalizadas** puede añadir manualmente nuevas listas o importarlas desde una selección concreta de celdas. Dentro del cuadro **Entradas de lista**, escriba **Primeros, Segundos, Postres** (separados mediante comas) como componentes de la nueva lista y pulse el botón **Agregar**.

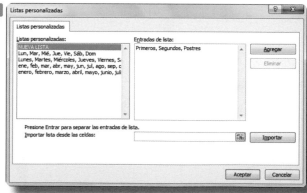

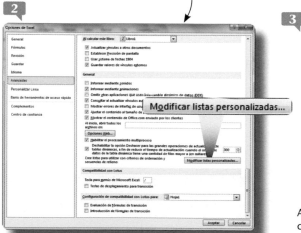

Acceda al cuadro Listas personalizadas desde la ficha Avanzadas del cuadro de Opciones de Excel y cree y gestione sus propias listas.

4. La lista creada se añade al cuadro **Listas personalizadas**.
   También se puede crear una lista a partir de un rango de celdas existentes. En el mismo cuadro **Listas personalizadas**, pulse sobre el icono situado a la izquierda del botón Importar.

5. El cuadro de diálogo se ha reducido. Seleccione el rango de celdas con contenido y cuando su nombre aparezca en el cuadro de diálogo reducido haga clic sobre el icono situado a la derecha de la caja de texto.

6. Pulse el botón **Importar** y podrá observar que se ha creado una nueva lista.

7. Ahora practicaremos con la lista **Primeros, Segundos, Postres**. Selecciónela en el cuadro **Listas personalizadas** y haga clic sobre el botón **Aceptar**.

8. En el cuadro **Opciones**, pulse el botón **Aceptar**.

9. Haga clic en la celda **A11**, escriba el elemento **Primeros** y confirme la entrada pulsando la tecla **Retorno**.

10. Seleccione con un clic la celda **A11**, haga clic en el cuadrado situado en su ángulo inferior derecho y, sin soltar el botón del ratón, arrastre hacia abajo, hasta que queden seleccionadas también las celdas **A12** y **A13**.

11. El programa ha rellenado las celdas seleccionadas con los siguientes elementos de la lista. Para finalizar, haga clic en una cualquier celda para desactivar la selección actual.

Para crear una nueva lista personalizada, introduzca sus componentes separados por una coma en el campo **Entradas de lista** y pulse el botón **Agregar**. Su nueva lista aparecerá en el apartado **Listas personalizadas** a continuación de las predeterminadas de Excel.

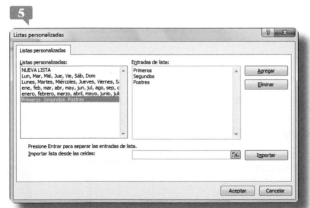

Es necesario seleccionar una lista y pulsar sobre el botón **Aceptar** para que ésta funcione

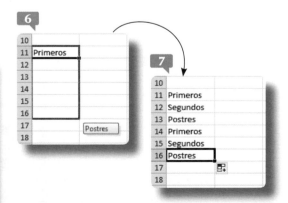

Cuando tenemos una lista seleccionada, y ya hemos escrito en una celda el primer componente de la lista, sólo hay que situar el ratón en el ángulo inferior derecho de esa celda y estirar hasta cubrir todas las celdas que queremos completar.

Trabajar con Opciones de autorrelleno

LA ETIQUETA OPCIONES DE AUTORRELLENO aparece al rellenar una lista automáticamente y permite modificar las condiciones del autorrelleno que se acaba de realizar. Las opciones que incluye son: Copiar celdas, Rellenar serie, Rellenar formatos sólo y Rellenar sin formato. La única opción que puede variar es Rellenar serie, ya que cuando el contenido de las celdas es texto, el programa no asocia ninguna serie a no ser que sea una lista personalizada existente.

1. Para trabajar con las opciones de autorrelleno nos situaremos en la **hoja 2** del libro actual, que está en blanco. Cuando se encuentre en ella, inserte un **3** en la celda **A1**, pulse la tecla **Retorno**, inserte un **4** en la celda **A2** y pulse de nuevo **Retorno**.

2. Seleccione la celda **A1** y, manteniendo la tecla **Mayúsculas** pulsada, haga clic sobre **A2** para seleccionar ese rango. **1**

3. Sitúese en la ficha **Inicio** de la Cinta de opciones y haga clic sobre el icono de la herramienta **Centrar**, el segundo de la segunda fila de herramientas del grupo **Alineación**. **2**

4. El contenido de ambas celdas se centra. A continuación, rellenaremos esta serie automáticamente. Haga clic sobre el cuadrado situado en el extremo inferior derecho de las dos celdas seleccionadas y arrástrelo hasta la celda **A6**. **3**

5. Aparece la etiqueta inteligente **Opciones de autorrelleno**. En este caso, el programa ha interpretado la lista como una serie

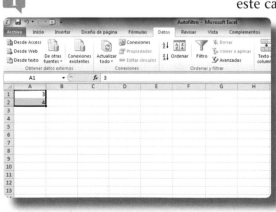

Inserte dos números consecutivos en dos celdas y seleccione el rango.

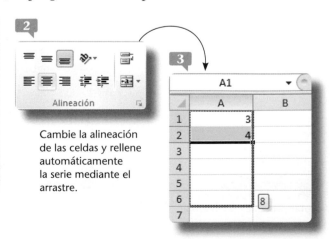

Cambie la alineación de las celdas y rellene automáticamente la serie mediante el arrastre.

de números consecutivos, pero imagine que su intención era simplemente copiar el contenido de las dos primeras celdas. Haga clic sobre la etiqueta inteligente y pulse sobre la opción **Copiar celdas**.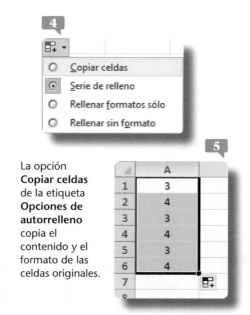

6. El contenido de las celdas rellenadas ha cambiado y ahora muestra la copia exacta de las dos celdas originales incluyendo su formato. El resto de opciones están relacionadas con las distintas versiones de relleno de una serie. Imagine ahora que desea rellenar esta serie pero sin copiar el formato, es decir, sin que las celdas rellenadas automáticamente presenten la alineación centrada. Haga clic sobre la etiqueta **Opciones de autorrelleno** y seleccione la opción **Rellenar sin formato**.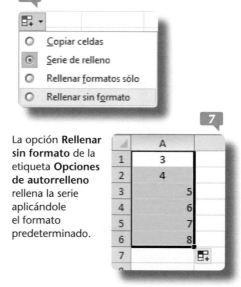

7. El contenido de las celdas rellenadas no es una copia de las originales, sino que ahora muestra una serie de números con la alineación predeterminada por Excel. Intentaremos copiar el formato simplemente, sin contenido alguno. Haga clic de nuevo sobre las **Opciones de autorrelleno** y active la opción **Rellenar formatos sólo**.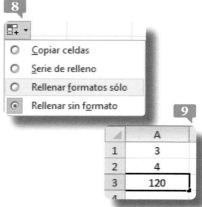

8. En este momento las celdas comprendidas entre **A3** y **A6** están vacías pero presentan una alineación centrada. De este modo, los datos que inserte en cualquiera de estas celdas presentarán este tipo de alineación. Compruébelo introduciendo el valor **120** en la celda **A3**.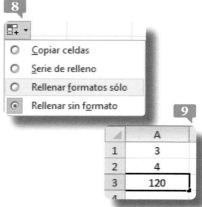

La opción **Rellenar formatos sólo** de la etiqueta **Opciones de autorrelleno** únicamente el formato sin rellenar las celdas.

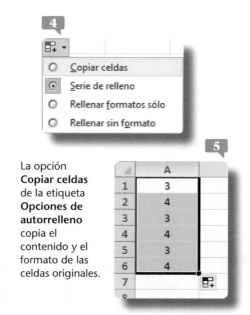

La opción **Copiar celdas** de la etiqueta **Opciones de autorrelleno** copia el contenido y el formato de las celdas originales.

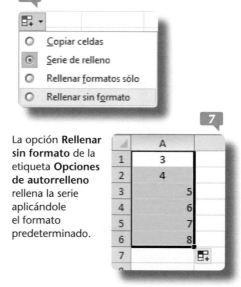

La opción **Rellenar sin formato** de la etiqueta **Opciones de autorrelleno** rellena la serie aplicándole el formato predeterminado.

Ordenar datos

LA FUNCIÓN ORDENAR está destinada a solucionar los problemas de manejo de tablas que contienen grandes cantidades de registros introducidos sin seguir ningún orden. El orden se establecerá según un criterio numérico o alfabético, en función del contenido de la columna seleccionada. En ambos casos, el sentido puede ser ascendente o descendente.

1. Para llevar a cabo este ejercicio, utilizaremos el libro Puntos. xlsx. Las herramientas de ordenación se encuentran tanto en el grupo **Modificar** de la ficha **Inicio** como en el grupo **Ordenar y filtrar** de la ficha **Datos**. En primer lugar, ordenaremos alfabéticamente la lista de nombres. Seleccione el primero de la lista.

2. Haga clic en el botón del grupo de herramientas **Ordenar y filtrar** y pulse sobre la opción **Orden de A a Z**.

3. Automáticamente toda la tabla se ordena siguiendo como criterio de orden la inicial de los nombres. Ahora ordenaremos los nombres en orden alfabético descendente. En esta ocasión, utilizaremos las herramientas de ordenación de la ficha Datos. Haga clic en la pestaña **Datos** de la Cinta de opciones.

Seleccione una celda de la columna que desea ordenar, active la opción de ordenación que más le convenga en el comando **Ordenar y filtrar** y vea cómo automáticamente Excel ejecuta la acción.

4. Pulse sobre el icono **Ordenar de Z a A** del grupo de herramientas **Ordenar y filtrar**.

5. Ahora imaginemos que queremos ordenar la tabla de manera que se muestren en primer lugar los nombres con números menores (de puntos, de altura, etc.) y en último lugar los de números mayores. Haga clic sobre la herramienta **Ordenar** del grupo **Ordenar y filtrar**.

6. Se abre el cuadro **Ordenar**, donde debemos establecer los criterios de orden. Haga clic en el botón de punta de flecha del campo **Ordenar por** y seleccione la columna **Total** que es donde encuentran los valores que ordenaremos.

7. A continuación, haga clic en el botón de punta de flecha del campo **Ordenar según** para ver las opciones que incluye.

8. Si ha aplicado formatos manuales o condicionales a un rango de celdas o a una columna de tabla, Excel permite, en esta nueva versión, ordenarlas por color de celda o de fuente o por icono de celda. Pulse sobre la opción **Valores**.

9. Mantenga seleccionada la opción **De menor a mayor** en el campo **Criterio de ordenación** y pulse el botón **Aceptar**.

Sepa que puede añadir hasta 64 niveles de ordenación usando el botón **Agregar nivel** del cuadro **Ordenar**. Además, el cuadro **Opciones de ordenación** permite distinguir entre mayúsculas y minúsculas así como cambiar la orientación del orden.

Puede encontrar los comandos de ordenación y filtrado de datos tanto en la ficha **Inicio** como en la ficha **Datos**.

El botón **Ordenar** abre el cuadro de diálogo del mismo nombre desde el cual es posible establecer diferentes criterios y niveles de ordenación. Elija la columna que desea ordenar, el tipo de datos que contiene y el criterio de ordenación.

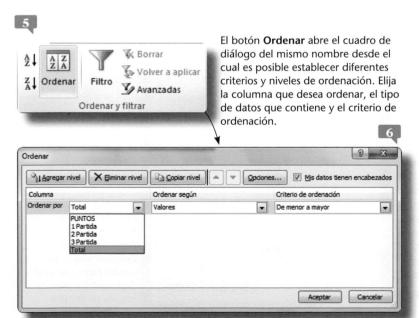

PUNTOS	1 Partida	2 Partida	3 Partida	Total
Asensi	20	15	25	60
Flores	40	30	10	80
Álvarez	60	10	25	95
Bonito	30	25	40	95
Nerín	10	35	50	95
Vera	25	35	35	95
Balaguer	35	45	30	110
Pérez	25	50	45	120

Observe que los valores de la columna total se han ordenado de menor a mayor.

Utilizar autofiltros

LOS FILTROS SON LA FUNCIÓN más adecuada para localizar registros que cumplan criterios y ocultan las filas que no desea ver.

1. Para llevar a cabo este ejercicio utilizaremos un nuevo libro de ejemplo. Descargue de nuestra web el documento **Autofiltro. xlsx** guárdelo en su ordenador y ábralo para poder trabajar sobre el mismo.

2. Como puede ver, la nueva hoja de cálculo está formada únicamente por dos columnas, una que refleja los meses del año y otra, los gastos generados en cada uno de estos meses. Seleccione la celda **A1** haciendo clic sobre ella.

3. Sitúese en la ficha **Datos** y haga clic en el comando **Filtro** 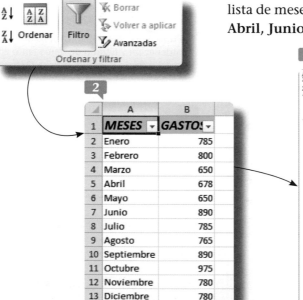 del grupo de herramientas **Ordenar y filtrar**.

4. En cada una de las celdas que el programa ha interpretado como rótulos, se ha situado un botón de flecha. Pulse sobre el botón de flecha que ha aparecido en la cabecera **MESES**.

5. Como ve, el autofiltro le permite seleccionar elementos de una lista de valores de texto, ordenarlos o crear criterios. En la lista de meses, desactive por este orden las casillas de los meses **Abril**, **Junio** y **Marzo** y pulse el botón **Aceptar**.

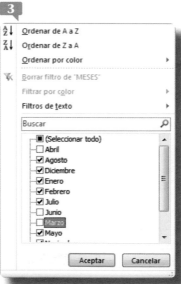

Habilite el filtro en las celdas con texto seleccionadas y vea cuáles son las opciones de filtrado que ofrece Excel 2010. Elija varios elementos en la lista y aplique el filtro. Después, vea cuáles son los **filtros de texto** disponibles y cree un criterio de filtrado.

037

6. En la lista ya no aparecen estos meses y las cabeceras de las filas se muestran en color azul, lo que indica que tienen aplicado un filtro. Para volver a mostrar todos los meses, haga clic en el icono de filtro del rótulo **MESES**, marque la casilla de verificación de la opción **Seleccionar todo** y pulse **Aceptar**.

7. A continuación, aplicaremos un filtro de número a la columna **B**. Pulse en el botón de flecha del rótulo **GASTOS** y haga clic en la opción **Filtros de número** para ver qué opciones incluye.

8. Puede utilizar los operadores de comparación (igual que, mayor que, entre, etc.) para establecer criterios o crear su propio filtro personalizado. Seleccione la opción **Entre**. **5**

9. Se abre el cuadro **Autofiltro personalizado**, en el que tenemos que indicar los criterios que deberá cumplir el filtro. En este caso, vamos a mostrar únicamente los valores comprendidos entre 600 y 800. Haga clic en el campo **es mayor o igual a**, introduzca el valor 600.

10. Haga clic en el campo **es menor o igual a**, escriba el valor **800** y pulse el botón **Aceptar** para aplicar el filtro. **6**

11. Vea cómo se actualiza su listado mostrando sólo los meses cuyos gastos coinciden con el criterio de filtro establecido. Para terminar, eliminaremos el filtro. Pulse el comando **Borrar** del grupo de herramientas **Ordenar y filtrar**. **7**

12. Por último, para deshabilitar el filtrado de celdas, pulse en el comando **Filtro** de ese mismo grupo.

7

También puede borrar el filtro y el estado de ordenación actual del rango de datos usando el botón **Borrar**. Para deshabilitar el filtro, pulse el botón **Filtro**.

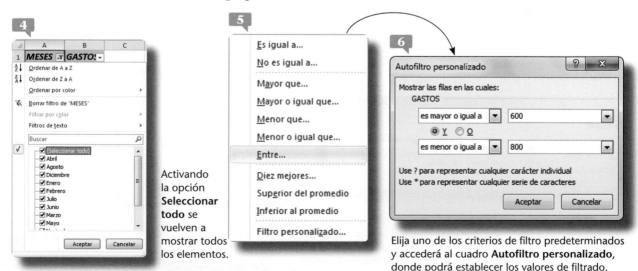

4

5

Activando la opción **Seleccionar todo** se vuelven a mostrar todos los elementos.

6

Elija uno de los criterios de filtro predeterminados y accederá al cuadro **Autofiltro personalizado**, donde podrá establecer los valores de filtrado.

Importar datos desde Access

EN ESTA VERSIÓN DE EXCEL, LAS HERRAMIENTAS de importación de datos se encuentran en el grupo de herramientas Obtener datos externos, en la ficha Datos de la Cinta de opciones. Esas herramientas permiten importar datos desde una base de datos de Access, desde una página Web, desde un archivo de texto o desde otros orígenes de datos que se incluyen en el comando De otras fuentes.

1. Vamos a importar los datos desde una base de datos de Access. Conocemos de antemano el nombre del archivo de origen de datos que deseamos importar y también el lugar donde deseamos ubicarlo. Si usted no tiene ningún documento Access descargue **Libros Infantiles.accbd** desde nuestra web y guárdelo en su ordenador. Active una hoja de Excel en blanco pulsando sobre su etiqueta.

2. Haga clic sobre el botón del grupo de herramientas **Obtener datos externos** de la ficha Datos y pulse sobre la herramienta **Desde Access**. 🔲1

3. En el cuadro **Seleccionar archivos de origen de datos** localice y abra la carpeta en la que se encuentra el archivo que contiene los datos que desea importar.

4. A continuación, seleccione el archivo de Access en cuestión y pulse el botón **Abrir**. 🔲2

Las herramientas de obtención de datos externos (desde Access, desde Web, desde texto o desde otras fuentes) se encuentran en Excel 2010 en el grupo de herramientas **Obtener datos externos** de la ficha Datos.

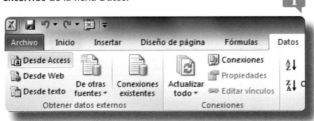

Localice y seleccione el archivo de base de datos que desea importar a Excel en el cuadro **Seleccionar archivos de origen de datos**.

038

5. Si la base de datos está compuesta de varias tablas, como es el caso, se abre el cuadro **Seleccionar tabla**, 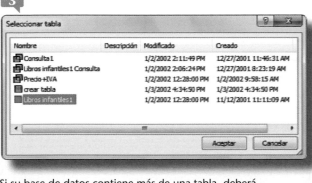 en el que debe seleccionar la tabla que desea importar. Seleccione la denominada **Libros infantiles1** y pulse el botón **Aceptar**.

6. En el cuadro **Importar datos** debemos establecer el modo en que los datos se mostrarán en el libro así como el punto exacto de la hoja actual, o de una nueva, donde se ubicarán. En este caso, mantendremos activada la opción **Tabla** para que los datos aparezcan a modo de tabla y la celda **A1** de la hoja de cálculo actual para que se ubique en ese punto del libro. Antes de aceptar la importación de los datos de la tabla, veamos cuáles son sus propiedades. Pulse sobre el botón **Propiedades**.

7. En el cuadro **Propiedades de conexión**, haga clic en la casilla de verificación de la opción **Actualizar cada**.

8. De este modo, cuando modifique los datos en la base de datos, éstos se actualizarán en la hoja de cálculo cada 60 minutos.  Pulse el botón **Aceptar** del cuadro Propiedades de conexión.

9. Pulse el botón **Aceptar** de la ventana Importar datos para que el rango de datos sea importado directamente a la hoja activa.

La operación se ha llevado a cabo correctamente y ahora, en el punto indicado de la hoja se ha añadido la tabla seleccionada. Al mismo tiempo aparece en la Cinta de opciones la ficha **Herramientas de tablas**, con cuyas herramientas de diseño podemos modificar el aspecto de la tabla.

En el cuadro **Importar datos**, indique cómo quiere ver los datos en el libro y dónde quiere situarlos. Si desea ver las propiedades de la base de datos, pulse el botón **Propiedades**.

Si su base de datos contiene más de una tabla, deberá seleccionar las que quiere importar en el cuadro **Seleccionar tabla**. En caso contrario, se abrirá directamente el cuadro **Importar datos**.

Importar datos desde texto

LA IMPORTACIÓN DE DATOS DESDE UN ARCHIVO DE TEXTO se lleva a cabo de manera similar a la de la importación de datos desde Access. En este ejercicio importaremos un documento de texto en esta misma hoja del libro.

1. Para empezar, seleccione una celda vacía, por ejemplo, la **A22**.

2. Haga clic en la pestaña **Datos** de la Cinta de opciones, pulse sobre el botón del grupo de herramientas **Obtener datos externos** y seleccione la función **Desde texto**.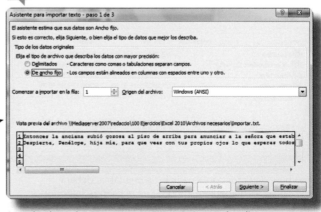

3. Se abre el cuadro **Importar archivo de texto** mostrando por defecto el contenido de la carpeta **Documentos**. Localice y abra la carpeta en la que se encuentra el archivo de texto que desea importar. (Recuerde que si no tiene ningún archivo .txt puede descargar el denominado **Importar.txt** desde nuestra página web.)

4. Seleccione el archivo de texto en cuestión y pulse el botón **Importar**.

5. Al importar un documento de texto, aparece el **Asistente para importar texto,** que consta de tres pasos en los que debemos definir las condiciones de la importación. En el apartado **Vista previa del archivo** puede ver el aspecto que tendrá el

Acceda al cuadro **Importar archivo de texto**, localice y seleccione el archivo de texto que desea importar y se abrirá así el **Asistente para importar texto**.

documento cuando lo importemos a la hoja de cálculo. Mantenga los parámetros tal y como aparecen por defecto en el primer paso del asistente y pulse el botón **Siguiente**.

6. La siguiente pantalla permite establecer el ancho de los campos. Pulse el botón **Siguiente** para conservar el preestablecido.

7. La última pantalla permite seleccionar las columnas y establecer el formato de los datos que contienen. Mantenga el formato **General** para los datos de las columnas 5 y pulse el botón **Finalizar**.

8. Como puede ver, los datos de tipo texto sólo pueden importarse como tabla pero también podemos elegir el punto de la hoja actual o de una hoja nueva donde se situarán. Haga clic en el botón **Aceptar** del cuadro **Importar datos** 6 para que los datos de texto se importen como tabla y se coloquen a partir de la celda seleccionada.

9. Antes de acabar, veamos desde qué otras fuentes nos permite Excel 2010 importar datos. Haga clic en una celda vacía.

10. Pulse sobre el botón Obtener datos externos y haga clic en la herramienta **De otras fuentes**.

11. Éstas son las fuentes desde las cuales podemos importar datos en Excel 2010. 7 Entre ellas se encuentran servidores SQL, Microsoft Query, etc. Cierre el menú que aparece en pantalla pulsando en la **Barra de título** y guarde los cambios pulsando el icono **Guardar** de la **Barra de herramientas de acceso rápido**.

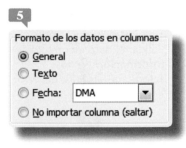

5

Formato de los datos en columnas
- ● General
- ○ Texto
- ○ Fecha: DMA
- ○ No importar columna (saltar)

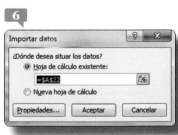

6

Importar datos
¿Dónde desea situar los datos?
- ● Hoja de cálculo existente:
  =$A$22
- ○ Nueva hoja de cálculo

Propiedades... | Aceptar | Cancelar

El **Asistente para importar texto** consta de 3 pasos en los que se deben definir los parámetros de importación.

7

Conexiones
Propiedades
Editar vínculos
Ordenar Filtro

De otras fuentes | Conexiones existentes | Actualizar todo

Desde SQL Server
Crear una conexión a la tabla del servidor SQL Server. Importar los datos en Excel como tabla o como informe de tabla dinámica.

Desde Analysis Services
Crear una conexión a un cubo de SQL Server Analysis Services. Importar los datos en Excel como tabla o como informe de tabla dinámica.

Desde importación de datos XML
Abrir o asignar un archivo XML.

Desde el Asistente para la conexión de datos
Importar datos para un formato no listado utilizando el Asistente para la conexión de datos y OLEDB.

Desde Microsoft Query
Importar datos para un formato no listado utilizando el Asistente para consultas de Microsoft y ODBC.

En el botón **De otras fuentes** del grupo de herramientas Obtener datos externos se encuentran el resto de fuentes, desde las que es posible importar datos a Excel 2010.

Validar datos

EL PROCESO DE VALIDACIÓN CONSISTE EN establecer unos límites a los datos que puede contener una celda, fila o columna. Estas limitaciones pueden ser de tipo numérico, de texto o de fórmula.

1. Para este ejercicio volveremos a utilizar el libro **Autofiltro. xlsx**. Sitúese en la celda **F2**, haga clic en la pestaña **Datos** de la Cinta de opciones y pulse en el comando **Validación de datos**, del grupo Herramientas Datos.

2. En el cuadro **Validación de datos**, abra la lista **Permitir** pulsando en la flecha adjunta y seleccione la opción **Lista**.

3. Haga clic dentro del campo **Origen**, seleccione el rango de celdas **A2:A7** sirviéndose de la tecla **Mayúsculas** y pulse el botón **Aceptar**.

4. Compruebe que junto a la celda seleccionada, **F2**, una flecha permite abrir la lista de datos permitidos. Púlsela.

5. A continuación, vuelva a hacer clic sobre la celda **F2** y escriba manualmente uno de los meses que aparecen en la lista, por ejemplo **Enero**, y pulse la tecla **Retorno**.

El botón **Validación de datos** del grupo Herramientas de datos da paso al cuadro de diálogo Validación de datos, donde debemos indicar los valores que se van a permitir en las celdas seleccionadas.

6. Ahora, haga clic en la misma celda, introduzca la palabra **Agosto** y pulse la tecla **Retorno**. 🔢

7. Se abre un cuadro que nos informa de que el dato introducido no está validado. Pulse el botón **Cancelar** de este cuadro. 5️⃣

8. A continuación, seleccione la celda **G1** y pulse de nuevo el botón **Validación de datos**.

9. Abra la lista **Permitir**, seleccione **Número entero**, despliegue la lista **Datos** y elija la opción **Menor o igual que**.

10. Haga clic dentro del campo **Máximo**, escriba la cifra **10000** sin ningún signo de puntuación y pulse el botón **Aceptar**. 6️⃣

11. En la celda G1, que ya se encuentra seleccionada, escriba directamente la cifra **10001** y pulse la tecla **Retorno**.

12. Aparece de nuevo el mensaje de error. Ahora pulse sobre el botón **Reintentar**, escriba la cifra **9950** y pulse **Retorno**.

13. Por último, vamos a ver cuáles son los tipos de mensajes que puede mostrar la función Validación. Vuelva a pulsar el botón **Validación de datos** y, en la ventana del mismo nombre, haga clic en la pestaña **Mensaje de error**.

14. En el campo **Estilo**, pulse el botón de flecha para ver los tres estilos de mensajes y seleccione, por ejemplo, **Advertencia** para ver su icono.

15. Acabe el ejercicio pulsando el botón **Cancelar** del cuadro **Validación de datos**.

Si la celda sólo admite valores incluidos entre un rango concreto e intenta insertar otros, aparecerá el cuadro de error. Puede cancelar la acción, reintentar o bien pedir ayuda al programa.

Si se introduce un valor de texto no válido en una celda validada, aparece este **mensaje de error** que nos informa de que dicho valor no puede insertarse en esa celda.

Establecer subtotales

DE FORMA AUTOMÁTICA, podemos establecer unos resúmenes en celdas concretas de las tablas. Se trata de la función Subtotal, incluida en el grupo de herramientas Esquema de la ficha Datos. Indicando cuál es la columna que contiene los datos a calcular y en qué puntos de la tabla debe ejecutarse la operación, podemos establecer sumas parciales, pero también promedios, productos, cuentas, e incluso mostrar valores máximos y mínimos.

1. Para llevar a cabo este ejercicio dedicado a la obtención de subtotales, recuperaremos el archivo **Puntos.xlsx**. Ábralo y sitúese en la celda **A1**.

2. En la ficha **Datos**, pulse en el comando **Subtotal** del grupo de herramientas **Esquema**. 🔟

3. Se abre el cuadro de diálogo **Subtotales.** Mantenga la configuración predeterminada y pulse el botón **Aceptar.** 🔳

4. Tal y como nos proponía el cuadro, se han añadido los totales parciales. En la parte izquierda de la hoja de calculo, han aparecido los típicos controles de un esquema. Pulse sobre el número **1**, situado en la cabecera de los controles, para que se muestre el nivel 1. 🔳

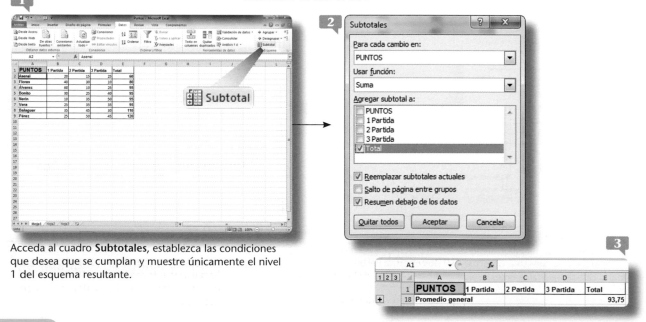

Acceda al cuadro **Subtotales**, establezca las condiciones que desea que se cumplan y muestre únicamente el nivel 1 del esquema resultante.

041

5. En lo que se denomina nivel 1, sólo se nos muestra el total general. Pulse sobre el número **2** en el cuadro de controles y vea qué tipo de subtotales aparecen.

6. Es posible obtener distintos niveles de visualización. Para combinar niveles de visualización pulse sobre el primero de los signos +.

7. Los datos correspondientes al primer elemento de su lista se muestran completos, es decir, en el nivel 3. Pulse nuevamente sobre el comando **Subtotal**.

8. Despliegue la lista del cuadro **Usar función** y seleccione la opción **Promedio**.

9. Desactive la opción **Reemplazar subtotales actuales** para que los subtotales establecidos no desaparezcan y pulse el botón **Aceptar**.

10. Al establecer un nuevo tipo de subtotal, se ha añadido un nuevo nivel al esquema. Haga clic en el nivel 4 para tener una visión completa de la tabla.

11. Para acabar, eliminaremos todos los subtotales. Acceda al cuadro **Subtotales** y pulse el botón **Quitar todos** para recuperar el aspecto original de su tabla.

Podemos ir añadiendo subtotales a los ya creados si desactivamos la opción **Reemplazar subtotales actuales**. En ese caso, se añadirán al esquema.

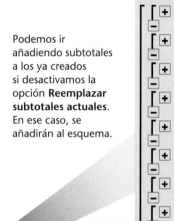

Pulse en los signos + y - que aparecen al crear el esquema de subtotales para obtener diferentes niveles de visualización.

En el cuadro **Subtotales** podemos elegir entre distintas funciones para crear el esquema (suma, máximo, producto, promedio, etc.).

Para eliminar todos los subtotales, utilice el botón **Quitar todos** del cuadro de diálogo Subtotales.

Editar el contenido de una celda

CUANDO HABLAMOS DE EDITAR EL CONTENIDO de una celda nos referimos a modificar su fuente, su estilo, su color, su tamaño, el relleno de la celda, etc. Todas estas propiedades pueden definirse desde el grupo de herramientas Fuente de la ficha Inicio de la Cinta de opciones.

1. Suponga que desea aplicar un formato de texto y de relleno de celda a un rango concreto de celdas de su hoja. Empiece seleccionando las filas 1 a 9 de las columnas **C** y **D** y active la ficha **Inicio** de la Cinta de opciones.

2. Mantenga estas columnas seleccionadas mientras dure todo el ejercicio. Despliegue el campo que muestra la fuente seleccionada en el grupo de herramientas **Fuente** y elija una de las fuentes de la lista desplegada.

3. A continuación, modificaremos el tamaño de la fuente. Pulse el botón de punta de flecha del campo **Tamaño de fuente** y elija uno de los tamaños que se listan.

4. Compruebe que el tamaño de las celdas se va ajustando a su contenido. Los botones situados a la derecha del campo **Tamaño de fuente** permiten aumentar o disminuir ese tamaño. Pulse el botón **Aumentar tamaño de fuente** para comprobarlo.

En el grupo de herramientas **Fuente** de la ficha **Inicio** encontrará todas las herramientas necesarias para editar el contenido de una celda. Cambie desde aquí la fuente y su tamaño y compruebe el comportamiento de la función **Aumentar tamaño**.

Excel 2010 ofrece una vista preliminar del estilo seleccionado antes de elegirlo definitivamente. Puede comprobarlo situando el puntero del ratón, sin hacer clic, sobre cualquiera de las fuentes o tamaños y verá que el formato del contenido de las celdas seleccionadas va cambiando.

042

5. Seguidamente, aplique los estilos **Negrita** y **Cursiva** pulsando sobre los dos primeros iconos que aparecen bajo el nombre de la fuente.

6. A continuación, cambiaremos el color de relleno y el de la fuente. Pulse en el botón de punta de flecha del icono **Color de relleno**, que muestra un cubo de pintura, y seleccione uno de los colores de la paleta que se despliega.

7. El color seleccionado se aplica al fondo de la celda. Pulse ahora en el botón de punta de flecha del icono **Color de fuente**, que muestra una letra A subrayada y elija igualmente uno de los colores de la paleta.

8. Como ve, la edición del contenido de una celda no reviste ninguna dificultad. Antes de acabar, accederemos a la ficha **Fuente** del cuadro **Formato de celdas**, desde la cual también podemos ver las características de un texto y editarlas. Haga clic en el iniciador de cuadro de diálogo del grupo de herramientas **Fuente**.

9. Efectivamente en esta ficha se pueden ver todas los atributos que hemos escogido para nuestro rango de celdas. Cambie en este cuadro el estilo **Negrita Cursiva** por el estilo **Negrita** seleccionándolo en el apartado **Estilo** y aplique el cambio pulsando el botón **Aceptar**.

10. Por último, deseleccione el rango de celdas pulsando sobre cualquier celda para ver el resultado de las modificaciones y guarde los cambios.

Aplique al texto de las celdas seleccionadas los estilos **Negrita** y **Cursiva** y después cambie el color de relleno de las celdas y el del texto.

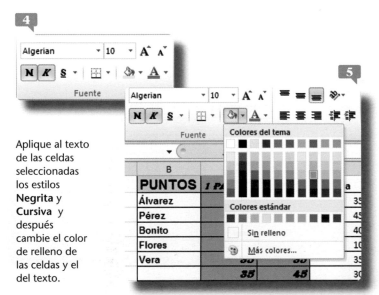

El iniciador de cuadro de diálogo del grupo **Fuente** abre el cuadro **Formato de celdas** en la ficha **Fuente**.

Alinear y orientar el texto de una celda

LOS DATOS QUE INTRODUCIMOS EN UNA CELDA SE ALINEAN por la izquierda si son de tipo texto y por la derecha si son numéricos. Esta configuración, denominada General, puede ser modificada por el usuario. Verticalmente, los datos de cualquier tipo se sitúan siempre en la parte inferior de la celda.

1. Para llevar a cabo este ejercicio, seguiremos trabajando sobre el libro **Puntos.xlsx**. Las herramientas de alineación vertical y horizontal se encuentran en el grupo **Alineación** de la ficha **Inicio**. Seleccione una celda con texto y pulse el segundo de los iconos de alineación vertical, para centrar su contenido verticalmente.

2. A continuación, centre el contenido también horizontalmente pulsando en el icono **Centrar**, el segundo de los iconos de alineación horizontal.

3. Pulse ahora sobre el comando **Alinear texto a la derecha**, situado a la derecha del denominado **Centrar**.

4. Seguidamente cambiaremos la orientación del texto de la misma celda, para lo que utilizaremos las diferentes opciones que

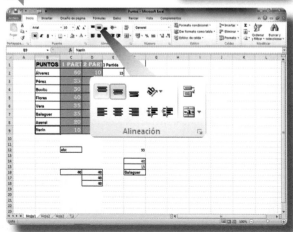

2

Por defecto Excel coloca los textos alineados horizontalmente a la izquierda y verticalmente en la parte inferior de la celda. Pruebe a centrarlos en ambos sentidos y después compruebe cómo actúa la herramienta **Alinear texto a la derecha**.

1

3

PUNTOS	1 PART	2 PART	3 Partida	Total
Álvarez	60	10	35	105
Pérez	35	50	45	130
Bonito	30	35	40	105
Flores	40	30	10	80
Vera	35	35	35	105
Balaguer	35	45	30	110
Asensi	20	15	35	70
Nerin	10	35	50	95

043

incluye el comando **Orientación**. Pulse sobre este comando, cuyo icono muestra las letras **ab** inclinadas.

5. Como puede ver, este comando nos permite aplicar ángulos ascendentes o descendentes al texto, cambiar su orientación a vertical, girarlo hacia arriba o hacia abajo y acceder al cuadro de formato de alineación de celdas. Pulse sobre la opción **Ángulo ascendente**.

6. Vuelva a pulsar ese mismo comando y seleccione ahora la opción **Texto vertical**.

7. Acceda al cuadro de formato de alineación de celdas desde la herramienta **Orientación** o usando el iniciador de cuadro de diálogo del grupo **Alineación**.

8. Se abre de este modo el cuadro **Formato de celdas** mostrando activa la ficha **Alineación**, que nos informa del estado actual del texto seleccionado. Para devolver la orientación horizontal al texto, sólo debería pulsar sobre la palabra **Texto** que aparece sobre un fondo negro en el apartado **Orientación**. Para inclinarlo, escriba el valor **-45** en el campo **Grados**, pulse el botón **Aceptar** y observe el resultado.

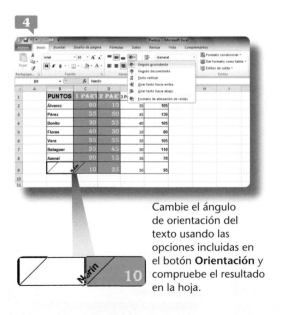

Cambie el ángulo de orientación del texto usando las opciones incluidas en el botón **Orientación** y compruebe el resultado en la hoja.

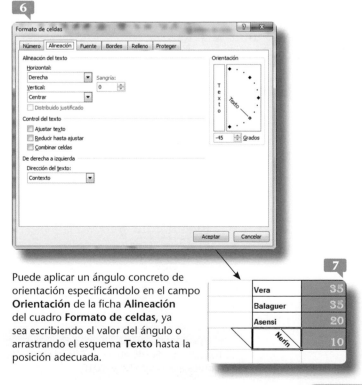

Puede aplicar un ángulo concreto de orientación especificándolo en el campo **Orientación** de la ficha **Alineación** del cuadro **Formato de celdas**, ya sea escribiendo el valor del ángulo o arrastrando el esquema **Texto** hasta la posición adecuada.

Añadir bordes y tramas a una celda

IMPORTANTE

Recuerde que también puede rellenar las celdas con colores o con **efectos de relleno** de tipo degradado.

EN PRINCIPIO, EXCEL MANTIENE EL FONDO DE LAS HOJAS en blanco, los datos en negro y las líneas de división entre filas y columnas con un trazo muy fino. El programa permite establecer una serie de tramas para los fondos de las celdas, que pueden combinarse con los colores de relleno que se apliquen a las celdas, y colocar líneas divisorias donde el usuario decida.

1. En primer lugar, seleccione el rango de celdas al que desea aplicar un marco.

2. Pulse sobre la flecha situada junto al icono **Bordes** que se encuentra en el grupo de herramientas **Fuente**, junto a la herramienta Color de relleno. **1**

3. Aparecen así todos los bordes predeterminados que ofrece Excel. Elija en este caso la opción **Borde de cuadro grueso**. **2**

4. El rango seleccionado muestra un borde a su alrededor. Pulse en una celda fuera del rango para comprobarlo.

5. Pulse de nuevo sobre la flecha situada junto al comando **Bordes** y seleccione la opción **Dibujar borde**. **3**

6. Observe que el puntero adopta forma de lápiz. Esta función permite adjudicar manualmente el tipo de borde que se establezca en el comando **Bordes**. Pulse nuevamente sobre dicho

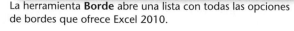

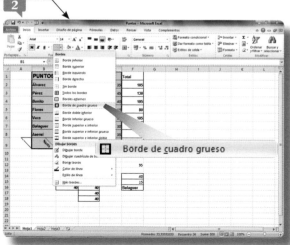

La herramienta **Borde** abre una lista con todas las opciones de bordes que ofrece Excel 2010.

comando, haga clic en la opción **Color de línea** y seleccione un color de la paleta. 4

7. Seguidamente elegiremos el estilo del borde. Despliegue nuevamente el menú de bordes, pulse en la opción **Estilo de línea** y seleccione una de las líneas discontinuas. 5

8. Una vez definidas las propiedades del borde, haga clic sobre una celda libre y arrastre hasta que sus cuatro bordes queden delimitados. 6

9. Desactive después el comando **Dibujar borde** pulsando sobre él.

10. Ahora veremos cómo aplicar una trama de fondo a una celda. Acceda al cuadro **Formato de celdas** seleccionando esa opción en el menú contextual de la celda que se encuentra seleccionada y active la ficha **Relleno**.

11. Haga clic sobre la flecha del campo **Estilo de trama** y pulse sobre una de las tramas que aparecen. 7

12. Como ve, el cuadro **Muestra** nos presenta la previsualización de la trama escogida. Pulse en el botón de flecha del campo **Color de trama**, elija un color y pulse **Aceptar**.

13. Seleccione otra celda para comprobar el efecto conseguido.

14. Por último vuelva a seleccionar la celda con bordes y trama, pulse en el icono **Bordes** del grupo Fuente y haga clic en la opción **Sin borde** para que los bordes desaparezcan.

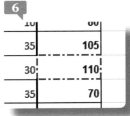

Puede aplicar la herramienta **Dibujar borde** a tantas celdas como quiera.

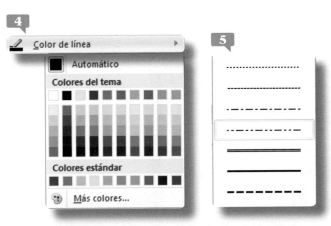

Excel permite seleccionar tanto el color del borde como el estilo de la línea.

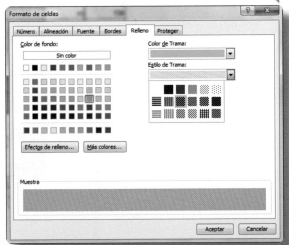

En la ficha **Relleno** del cuadro **Formato de celdas** puede seleccionar un estilo y un color de trama para el relleno de las celdas.

Aplicar y crear estilos de celda

PARA APLICAR EN UN SOLO PASO un formato de celda específico sobre una o varias celdas se utilizan los estilos de celda. Excel 2010 ofrece una gran variedad de estilos de celda que incluyen características de formato como fuentes, bordes, rellenos de celdas, etc. El programa permite modificar un estilo predeterminado para crear uno personalizado.

1. En primer lugar, seleccione el rango de celdas al que desea aplicar un estilo.

2. Sitúese en la ficha **Inicio** de la Cinta de opciones y haga clic en la herramienta **Estilos de celda** del grupo Estilos. 🔲¹

3. Se desplegará un menú con los distintos estilos predefinidos de Excel. Seleccione, por ejemplo, el estilo de celda temático **Énfasis2.** 🔲²

4. Si las celdas que ha elegido no tenían contenido, haga clic en una de ellas, escriba una cifra y pulse **Retorno** para ver cuál es el formato de texto establecido para el estilo seleccionado. (Si ya tenían contenido habrá visto el resultado directamente.)

5. Ahora veremos cómo crear un estilo de celda personalizado. Abra nuevamente la galería de estilos de celda pulsando en el botón correspondiente del grupo **Estilos** y pulse sobre la opción **Nuevo estilo de celda**.

En el botón **Estilos de celda** se encuentran los estilos predefinidos que ofrece Excel 2010. Puede seleccionar uno de estos estilos o bien crear uno propio personalizado.

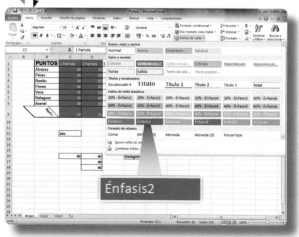

Cada estilo predefinido tiene una serie de características como un color de fondo, una alineación, un color de texto, que puede comprobar aplicándolo a una de sus celdas.

6. Se abre así el cuadro **Estilo** en el que, primero, estableceremos un nombre. En el campo **Nombre del estilo** escriba un nombre que identifique a su estilo. [3]

7. Una vez le haya dado nombre al nuevo estilo, especifique qué campos quiere determinar con este estilo: fuente, alineación, bordes, relleno etc.

8. Para elegir el formato que queremos aplicar al estilo, pulse el botón **Aplicar formato**.

9. Aparece el cuadro **Formato de celdas** que ya conoce. En las distintas fichas de este cuadro deberá definir las características de su estilo de celda. Por ejemplo, en la ficha **Relleno** seleccione el color azul claro. [4]

10. Active la ficha **Bordes**, marque la opción **Contorno**, haga clic en el botón de flecha del campo **Color** y elija el amarillo.

11. Por último, estableceremos en este ejemplo que el contenido de las celdas deberá alinearse siempre a la izquierda. Active la ficha **Alineación** y en el campo **Horizontal** elija la opción **Izquierda** (**sangría**).

12. Pulse el botón **Aceptar** para aplicar el nuevo formato y vuelva a pulsar el botón **Aceptar** en el cuadro **Estilo** para crear el nuevo estilo.

13. Para aplicar el estilo recién creado a la celda seleccionada, haga clic en el botón **Estilos de celda** y, tras comprobar que su estilo aparece ya en el apartado **Personalizada**, selecciónelo. [5]

14. Para acabar este ejercicio seleccione todas las columnas de la tabla **Puntos** y aplíqueles el estilo **Salida**. (Asegúrese también de que todas las celdas tengan la misma alineación.)

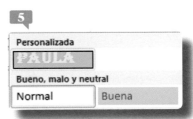
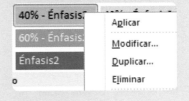

Cuando cree un estilo de celda personalizado, éste aparecerá en el apartado **Personalizada** de la galería.

Asigne un nombre a su nuevo estilo, especifique qué características de diseño y formato incluirá y pulse el botón **Aplicar formato** para acceder al cuadro **Formato de celdas** y determinar dichas características.

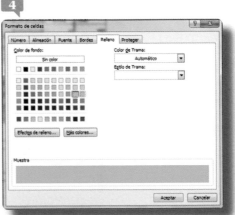

Seleccione un color de relleno, un borde, una alineación y otras características en el cuadro **Formato de celdas** para su estilo personalizado.

Aplicar formato condicional

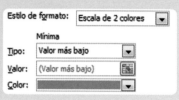
EN EXCEL 2010 PODEMOS UTILIZAR EL LLAMADO FORMATO condicional de celdas para analizar visualmente los datos de una hoja. El comando Formato condicional se incluye en el grupo Estilo de la ficha Inicio y permite marcar fácilmente excepciones o tendencias en los datos con degradados de color, barras de datos y conjuntos de iconos que cumplan una regla concreta.

1. En este ejercicio aprenderá a aplicar formatos condicionales enriquecidos a las celdas de una tabla (por ejemplo, de puntuaciones). Imagine, en primer lugar, que quiere resaltar las puntuaciones mayores de 35 de los jugadores. Empiece seleccionando el rango de celdas que contiene sus puntuaciones.

2. Haga clic sobre el comando **Formato condicional** del grupo **Estilos**.

3. Como ve, el formato condicional permite resaltar reglas de celdas y reglas superiores e inferiores, así como utilizar barras de datos, escalas de color o conjuntos de iconos con fines analíticos y de presentación. Además, desde este menú de opciones, podemos crear nuevas reglas, borrar las aplicadas y acceder al cuadro **Administrador de reglas de formato condicionales**, en el que es posible modificar las condiciones de las reglas creadas. Haga clic sobre la opción **Resaltar reglas de celdas**.

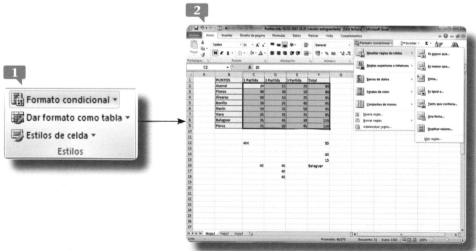

El comando **Formato condicional** del grupo de herramientas **Estilos**, en la ficha Inicio, incluye diferentes opciones que permiten resaltar celdas que cumplen determinadas condiciones para facilitar un análisis o mejorar la presentación de la hoja de cálculo.

4. Es posible resaltar las celdas que contienen valores superiores o inferiores a un número, las que contienen un texto o una fecha concretos, etc. En este caso, haga clic sobre la opción **Es mayor que**.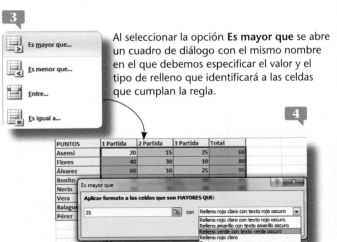

5. Se abrirá el cuadro **Es mayor que, donde** debemos especificar el valor que se tomará como base para la regla y el formato que mostrarán las celdas que la cumplan. En el campo **Aplicar formato a las celdas que son MAYORES QUE** escriba el valor **35**.

6. Observe cómo, a medida que se van introduciendo los valores, se van marcando las celdas que cumplen la regla con el formato seleccionado por defecto, Relleno rojo con texto rojo oscuro. Haga clic en el botón de punta de flecha del campo **Con**, pulse sobre la opción **Relleno verde con texto verde oscuro** y haga clic en **Aceptar**.

7. Ahora utilizaremos las barras de datos para representar gráficamente una escala de valores, donde los más altos mostrarán la barra más larga y los más bajos, la más corta. Haga clic nuevamente en el botón **Formato condicional**.

8. Pulse sobre la opción **Barras de datos** y, de los estilos que aparecen, seleccione, por ejemplo, el tercero de la primera fila.

9. Esta representación gráfica permite visualizar rápidamente aquellas celas con mayores valores. Ahora borraremos los formatos condicionales que hemos aplicado. Haga clic una vez más en el botón Formato condicional, pulse sobre la opción **Borrar reglas** y, del submenú que se despliega, elija la opción **Borrar reglas de las celdas seleccionadas**.

También puede crear representaciones gráficas de barras de datos con diferentes formatos.

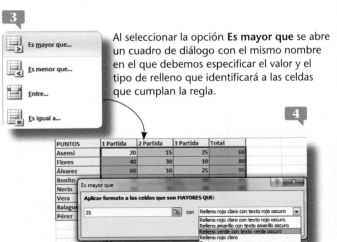

Al seleccionar la opción **Es mayor que** se abre un cuadro de diálogo con el mismo nombre en el que debemos especificar el valor y el tipo de relleno que identificará a las celdas que cumplan la regla.

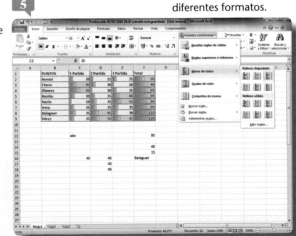

Formatos de números y de fecha

IMPORTANTE

Para expresar una fecha en formato 01/01/2009 elija la opción **Fecha corta** en la lista de formatos de número.

CUANDO SE INTRODUCE UN VALOR numérico en una celda, éste puede tomar diversos aspectos dependiendo del formato asignado a la celda que lo contiene. Por defecto, tanto los datos de texto como los numéricos presentan el formato General.

1. Seleccione una celda de su tabla, inserte el valor **-5** y pulse el botón **Introducir**.

2. Con la misma celda seleccionada, haga clic en el botón **Formato** del grupo **Celdas** y pulse en la opción **Formato de celdas**.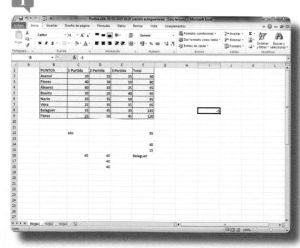

3. Active la pestaña **Número** y, tras comprobar que, efectivamente, el formato actual de los datos es **General**, seleccione la opción **Número**.

4. En este tipo de formato, los números negativos pueden expresarse de diferentes maneras. Elija, por ejemplo, la segunda opción de la lista **Números negativos** para mostrarlos en rojo y sin signo menos (-) delante y pulse **Aceptar**.

5. En general, se suelen escribir los números con un punto de separación entre millares para facilitar su lectura. Existen, evidentemente, formatos para que así sea, pero veremos a continuación un modo simple y rápido de hacerlo. Haga clic en una celda vacía, escriba el valor **2550** y pulse el botón **Introducir**.

Acceda al cuadro **Formato de celda** desde el botón Formato y active en él la ficha **Número**.

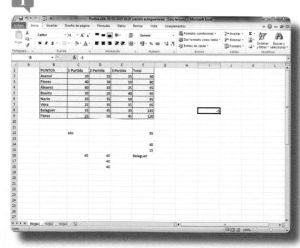

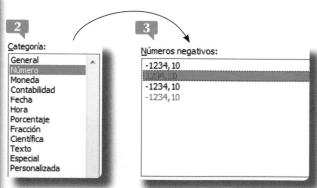

Seleccione la categoría **Número** para ver los diferentes formatos disponibles y elija uno de los estilos para números negativos.

6. En el grupo de herramientas **Número**, pulse en el comando **Estilo millares**, que muestra tres ceros, para que se añada el punto de separación entre millares en el valor numérico introducido. **4**

7. A continuación, practicaremos con la aplicación de formatos de fecha a celdas. Seleccione una celda vacía y pulse en el botón de flecha del campo **Formato de número** del grupo **Número**, donde se muestra por defecto la opción **General**.

8. Como ve, en este menú disponemos de dos estilos de fecha distintos. Elija la opción **Fecha larga**. **5**

9. Inserte ahora la fecha actual (puede separar los campos con barras inclinadas o con guiones) y pulse la tecla **Retorno**.

10. Excel nos muestra así la fecha completa correspondiente a los valores introducidos. **6** Vamos a ver ahora otro modo de aplicar un formato de fecha a otra celda. Pulse en el **iniciador de cuadro de diálogo** del grupo de herramientas Número.

11. Se abre de nuevo el cuadro **Formato de celdas**, en el que elegiremos otro formato de fecha. Haga clic en la opción **Fecha** del cuadro **Categoría**.

12. Pulse en la parte inferior de la Barra de desplazamiento del apartado **Tipo**, elija, por ejemplo, la opción **14-mar-2001** **7** y pulse el botón **Aceptar**.

13. Una vez seleccionado el formato para la celda, sólo nos queda comprobar su efecto. Escriba la fecha actual y pulse la tecla **Retorno**.

Esta misma opción también se puede aplicar desde el cuadro de diálogo **Formato de celdas** activando la opción **Usar separador de miles**.

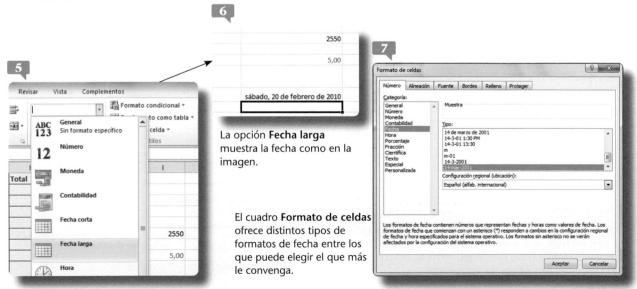

La opción **Fecha larga** muestra la fecha como en la imagen.

El cuadro **Formato de celdas** ofrece distintos tipos de formatos de fecha entre los que puede elegir el que más le convenga.

Calcular los días transcurridos entre fechas

SI DESEA AVERIGUAR EL NÚMERO DE DÍAS transcurridos entre dos fechas concretas, puede utilizar la función Hoy de la categoría Fecha y hora, dentro del cuadro Insertar función.

1. Seleccione una celda vacía de su hoja de cálculo, active la pestaña **Fórmulas** y pulse sobre el comando **Insertar función**.

2. En el cuadro **Insertar función**, haga clic en el botón de punta de flecha del campo **O seleccionar una categoría** y elija la opción **Fecha y hora**.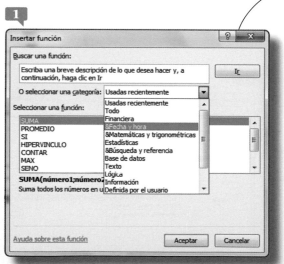

3. En esta categoría se encuentran todas las funciones relacionadas con operaciones sobre días, meses, años, horas, etc. Haga clic en la parte inferior de la Barra de desplazamiento vertical del apartado **Seleccionar una función**, elija la opción **Hoy** y pulse el botón **Aceptar**.

4. Se abrirá así el cuadro **Argumentos de función**, que muestra una breve descripción del efecto de la fórmula; en este caso no tiene argumentos. Puede pulsar el vínculo **Ayuda sobre esta función** si desea obtener más información. Haga clic en el botón **Aceptar** para que aparezca la fecha actual en su celda.

La función **HOY,** que se encuentra en la categoría de funciones Fecha y hora, devuelve la fecha actual con formato de fecha y carece de argumentos.

048

5. Observe que automáticamente Excel aplica el formato de fecha a la celda seleccionada, es decir, aparecerá el día de hoy en la celda. Haga clic en la **Barra de fórmulas**, al final de la función, y escriba un signo menos (-) seguido de su fecha de nacimiento entre comillas (ejemplo: **=HOY()-"10/09/1984"**).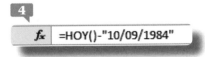

6. Es muy importante introducir la fecha entre comillas para que la operación se efectúe correctamente. Pulse el botón **Introducir**.

7. Puesto que el formato de la celda seleccionada es el de fecha, Excel nos ofrece el resultado de la función en dicho formato. Vamos a cambiarlo para ver el número de días exactos transcurridos entre la fecha día de su nacimiento y el día de hoy. Con la celda seleccionada, vuelva a activar la pestaña **Inicio**, haga clic en el botón de flecha del campo **Formato de número** y seleccione la opción **Número**. 5

8. Para comprobar que el resultado es correcto, realizaremos una sencilla división en otra celda. Seleccione una celda vacía y escriba la fórmula **=nombre de la celda que contiene el resultado de la función HOY/365** (número de días del año). Es decir **=l12/365**. 6

9. Pulse el botón **Introducir** de la Barra de fórmulas y compruebe que su edad exacta expresada en años es el resultado mostrado.

10. Para acabar el ejercicio, guarde los cambios pulsando el icono **Guardar** de la Barra de herramientas de acceso rápido.

4

f_x =HOY()-"10/09/1984"

Recuerde escribir la fecha entre comillas para que la fórmula se ejecute correctamente.

5

La fórmula **HOY** convierte la celda en la que se realiza al formato de Fecha. Cambie dicho formato a **Número**.

Para obtener el resultado en años, seleccione otra celda vacía e inserte la fórmula =nombre de la celda con el número de días/365.

6

X ✓ f_x =l12/365

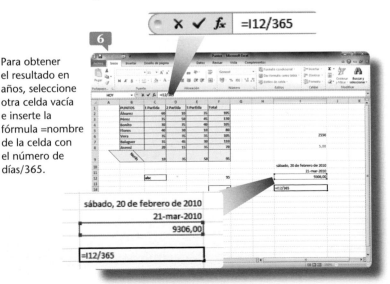

Conocer otros tipos de formatos

EXISTEN INFINIDAD DE CATEGORÍAS de formatos de valores numéricos: Moneda, Porcentaje, Hora, Fracción, etc. En este ejercicio practicaremos con algunos de estos formatos. Realizaremos los cambios a través del cuadro de diálogo Formato de celdas y también usaremos el listado de formatos incluido en el grupo de herramientas Número de la ficha Inicio.

1. En su hoja de cálculo, seleccione un rango de celdas con valores numéricos y con formato General.

2. Haga clic en el botón de punta de flecha del campo **Formato de número** del grupo de herramientas Número, que muestra por defecto la opción **General**.

3. Como ya sabe, aparece un listado con los principales tipos de formato de número disponibles. Haga clic sobre la opción **Porcentaje**. ■

4. Los valores de las celdas del rango seleccionado se muestran ahora en porcentajes y con dos decimales ■, según lo establecido por defecto en el cuadro Formato de celdas. Podemos aumentar o disminuir el número de decimales usando los dos iconos situados sobre el iniciador de cuadro de diálogo del grupo de herramientas Número. Para disminuir el número de

Recuerde que puede cambiar el formato de número de una celda desde el menú incluido en el comando **Formato de número** del grupo de herramientas Número o bien accediendo al cuadro de diálogo **Formato de celda**.

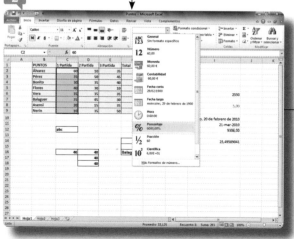

PUNTOS	1 Partida	2 Partida	3 Partida	Total
Álvarez	6000,00%	10	35	105
Pérez	3500,00%	50	45	130
Bonito	3000,00%	35	40	105
Flores	4000,00%	30	10	80
Vera	3500,00%	35	35	105
Balaguer	3500,00%	45	30	110
Asensi	2000,00%	15	35	70
Nerín	1000,00%	35	50	95

La configuración predeterminada para el formato de número **Porcentaje** establece que se deben mostrar dos cifras decimales.

decimales en las celdas seleccionadas, haga clic sobre la herramienta **Disminuir decimales**, segundo de esos iconos. **4**

5. Observe que los valores seleccionados pasan a mostrar un solo decimal. También podemos cambiar el número de decimales y el formato de número desde el cuadro **Formato de celdas**. Haga clic en el **iniciador de cuadro de diálogo** del grupo de herramientas Número y pruebe a cambiar el número de decimales.

6. A continuación veremos cuántos formatos de hora ofrece Excel. Haga clic sobre la categoría **Hora** y seleccione el tercer tipo de formato que aparece en la ventana **Tipo**.

7. Si en el contenido de las celdas seleccionadas no había horas, Excel por defecto pondrá la hora de media noche en el formato seleccionado. Pulse el botón **Aceptar** para comprobarlo. **5**

8. Por último, aplicaremos el estilo **Número sin decimales** a las celdas seleccionadas. Haga clic en el botón de punta de flecha del campo **Formato de número**, que ahora muestra la opción Hora, y pulse sobre el comando **Más formatos de número**.

9. De nuevo se abre el cuadro **Formato de celdas** con la ficha **Número** activa. Pulse sobre la categoría **Número**.

10. En el campo **Posiciones decimales**, escriba el valor **0**, o utilice las flechas laterales para reducir el número hasta **0** **6**, y pulse el botón **Aceptar**.

11. Para acabar este sencillo ejercicio, deseleccione el rango de celdas pulsando en una celda libre y guarde los cambios usando la combinación de teclas **Ctrl+G**.

El número de decimales se puede modificar desde el cuadro **Formato de celda**, cambiando el número de **posiciones decimales** de la categoría Número.

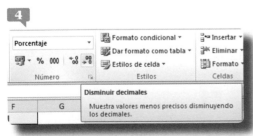

Los comandos **Aumentar decimales** y **Disminuir decimales** permiten modificar fácil y rápidamente el número de decimales que se muestran en una celda con valor numérico.

Compruebe cómo se comportan los diferentes formatos de hora que ofrece Excel 2010.

Utilizar la función Autocompletar

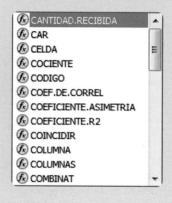

AL INTRODUCIR UNA FUNCIÓN, EXCEL 2010 ACTIVA por defecto la función Autocompletar, con la que se puede escribir rápidamente la sintaxis correcta de una fórmula en caso de duda. Esta función, que se puede activar o desactivar desde el apartado Fórmulas del cuadro Opciones de Excel, detecta fácilmente las funciones que se desean utilizar y muestra ayuda para completar los argumentos necesarios para obtener la fórmula correcta.

1. Para empezar este ejercicio, en el que conoceremos la utilidad de la función Autocompletar, haga clic en la pestaña **Archivo** y pulse sobre el comando **Opciones**.

2. En el cuadro de diálogo **Opciones de Excel**, que se habrá abierto, pulse sobre la opción **Fórmulas** en el panel de la izquierda.

3. Compruebe que la opción **Fórmula Autocompletar** del apartado **Trabajando con fórmulas** está activada 🔲. Es por ello que, al empezar a introducir una fórmula, aparece una lista de funciones cuya inicial coincide con la primera letra insertada. Cierre el cuadro Opciones de Excel pulsando el botón **Cancelar**.

4. Seleccione una celda libre de su hoja y escriba el signo = para empezar a introducir una función. 🔲

5. Imaginemos que queremos calcular el mínimo común múltiplo de los valores de tres celdas de esta hoja, pero desconocemos la sintaxis de esa función. Introduzca la letra **m**.

6. Aparece la lista **Autocompletar**, donde verá todas las funciones cuya inicial coincide con la letra insertada. Al seleccionar

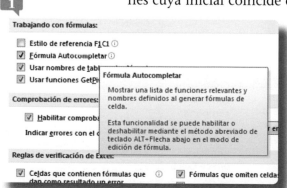

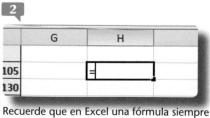

Recuerde que en Excel una fórmula siempre debe ir precedida del signo =.

050

las funciones en esta lista, el programa nos muestra una breve descripción de la operación que realiza. Haga clic sobre la función **M.C.M** (Mínimo común múltiplo).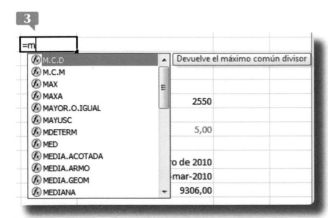

7. Para seleccionar e insertar esta función, haga doble clic sobre ella.

8. Aparecerá una etiqueta que muestra sintaxis correcta de la función, cuyos argumentos serán todos los números cuyo mínimo común múltiplo queremos calcular. Seleccione la celda que actuará como primer argumento de la función pulsando sobre ella.

9. Como indica la etiqueta informativa, los argumentos de la función deben estar separados por el signo punto y coma y cerrados entre paréntesis. Inserte el signo ; y seleccione la celda que actuará como segundo argumento de la función.

10. Inserte otro punto y coma y seleccione una tercera celda.

11. Ya sabe que, al introducir una función, no hay que olvidar escribir su paréntesis de cierre, el corchete de cierre para una referencia de tabla o bien las comillas de cierre para una cadena de texto MDX. Inserte un paréntesis de cierre y pulse **Retorno** para confirmar la entrada de la función.

12. Para acabar, guarde los cambios pulsando el icono **Guardar** de la Barra de herramientas de acceso rápido.

IMPORTANTE

La función **Autocompletar** indica el modo en el que hay que introducir los datos y signos de una fórmula o función y nos guía para que el resultado sea correcto.

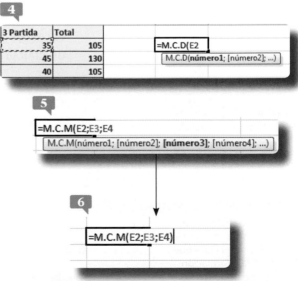

Después de escribir un = y las letras iniciales o un desencadenador, Excel muestra una lista desplegable de funciones, nombres y cadenas de texto válidas que coinciden con las letras o con el desencadenador.

Verá que al cerrar el paréntesis y completar la función, tal y como indica la etiqueta de Autcompletar, esta ayuda desaparece confirmando que el formato de la función es correcta. Si no lo fuese la etiqueta se mantendría visible.

Crear gráficos

IMPORTANTE

Para facilitar aún más la tarea de creación de gráficos, Excel 2010 le permite guardar sus gráficos personalizados como una **plantilla de gráfico** para poder aplicarlos rápidamente al crear nuevos gráficos.

CON LAS NUEVAS HERRAMIENTAS GRÁFICAS DE EXCEL 2010, la creación de vistosos y profesionales gráficos es ahora mucho más rápida y sencilla de lo que resultaba en versiones anteriores. La nueva interfaz de usuario incluye, en la ficha Insertar de la Cinta de opciones, el grupo de herramientas Gráficos, donde se muestra una vista previa de todos los estilos de gráficos disponibles. Además, el iniciador de cuadro de diálogo de este apartado da acceso al cuadro Crear gráfico, en el que también se muestran, clasificados por categorías, los diferentes estilos.

1. En este primer ejercicio dedicado a los gráficos, aprenderemos a crear uno a partir de una tabla de datos. En concreto, trabajaremos con el libro **Puntos**. En primer lugar debe seleccionar el rango de celdas que incluye los datos que va a representar en el gráfico. Haga clic sobre la celda **A1**, pulse la tecla **Mayúsculas** y, sin soltarla, haga clic sobre el celda **E9**. 🔲

2. Haga clic en la pestaña **Insertar** de la Cinta de opciones. 🔲

3. Como ve, los diferentes estilos están agrupados por categorías. Pulsando sobre cada una de ellas puede ver el aspecto de los estilos, pero, en este caso, para verlos todos a la vez, abriremos el cuadro **Insertar gráfico**. Haga clic en el iniciador de cuadro de diálogo del grupo de herramientas **Gráficos**. 🔲

1

	A	B	C	D	E
1	PUNTOS	1 Partida	2 Partida	3 Partida	Total
2	Asensi	20	15	25	60
3	Flores	40	30	10	80
4	Álvarez	60	10	25	95
5	Bonito	30	25	40	95
6	Nerín	10	35	50	95
7	Vera	25	35	35	95
8	Balaguer	35	45	30	110
9	Pérez	25	50	45	120

El primer paso para crear un gráfico consiste en seleccionar el rango de celdas que contienen la información que desea representar.

2

En Excel 2010 las herramientas para la creación y edición de gráficos se encuentran en la ficha **Insertar** de la Cinta de opciones.

3

Para acceder al cuadro Insertar gráfico, utilice el iniciador de cuadro de diálogo del grupo Gráficos.

4. En el cuadro **Insertar gráfico** podemos ver una lista de las diferentes categorías de estilos así como una vista previa de todos ellos. Haga clic sobre la categoría **Circular**.

5. Ahora seleccione por ejemplo el quinto estilo de esa categoría y pulse el botón **Aceptar**. 4

6. Aparece así el gráfico en el centro de la hoja. Los datos que refleja el gráfico se encuentran rodeados de un marco azul en la tabla original. Al mismo tiempo que el gráfico, ha aparecido la ficha contextual **Herramientas de gráficos**, que incluye tres subfichas: **Diseño**, **Presentación** y **Formato**. Ahora cambiaremos el estilo del gráfico para que sea algo más vistoso. Active la subficha **Diseño** y haga clic en el comando **Más**, el tercero de los botones de flecha del grupo **Estilos de diseño**.

7. En la galería de estilos de gráficos, pulse sobre uno de los estilos para aplicarlo. 5

8. Ahora aplicaremos uno de los diseños gráficos, en concreto, el que permite mostrar el porcentaje de los resultados sobre las diferentes porciones del gráfico. Haga clic en el comando **Más** del grupo **Diseño rápido** y, en la galería de diseños que aparece, pulse sobre el tercero de la segunda fila. 6

9. Deseleccione el gráfico pulsando cualquier celda y guarde los cambios.

Ha podido comprobar que la representación gráfica de los datos numéricos de una tabla es una forma agradable e inteligible de visualizar series de datos que pueden resultar densas y aburridas.

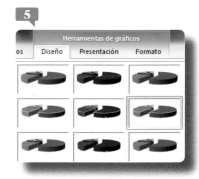

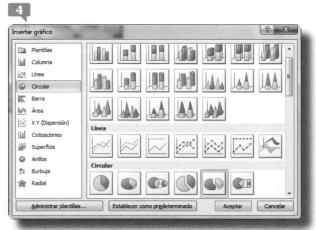

El cuadro **Insertar gráfico** dispone de la lista completa de tipos de gráficos de Excel 2010 con su correspondiente vista previa.

Elija un tipo de gráfico, un estilo rápido y un diseño rápido de entre los muchos que le ofrece la galería de Excel 2010.

Editar un gráfico

IMPORTANTE

Gracias a la nueva **vista previa en directo** podrá ver el efecto que se conseguirá con cada uno de los elementos de las galerías de estilos antes de aplicarlos. Sólo debe situar el puntero del ratón sobre ellos.

LAS HERRAMIENTAS DE EDICIÓN DE GRÁFICOS se han mejorado en Excel 2010 para que éstos presenten un aspecto más profesional. Como hemos visto en el ejercicio anterior, al seleccionar un gráfico se añade a la Cinta de opciones la ficha Herramientas de gráficos, con cuyas pestañas Diseño, Presentación y Formato podemos modificar el aspecto de todos los elementos del gráfico, desde las leyendas hasta el fondo.

1. En este ejercicio practicaremos con algunas de las herramientas de edición de gráficos. En la lección anterior vimos cómo aplicar un diseño y un estilo rápidos a un gráfico; empezaremos ahora modificando la ubicación de la leyenda. Para empezar, haga clic sobre el gráfico para seleccionarlo.

2. Se añade a la Cinta de opciones la ficha **Herramientas de gráficos**. Haga clic en la subficha **Presentación**.

3. Desde esta ficha podemos modificar el nombre del gráfico, sus etiquetas, sus ejes y su fondo. Haga clic en el comando **Leyenda** para ver las opciones que incluye.

4. Este menú nos permite modificar la ubicación de la leyenda que, por defecto, es a la derecha del área del gráfico. También es posible acceder al cuadro **Formato de leyenda**, cuyas opciones también encontraremos en la subficha **Formato**. Haga clic sobre la opción **Mostrar leyenda a la izquierda**.

Al seleccionar un gráfico, se activa la ficha **Herramientas de gráficos** entre cuyas tres subfichas se distribuyen las diferentes y renovadas herramientas de edición de gráficos. Desde la ficha **Presentación** puede modificar, por ejemplo, el lugar en el que se mostrará la leyenda del gráfico.

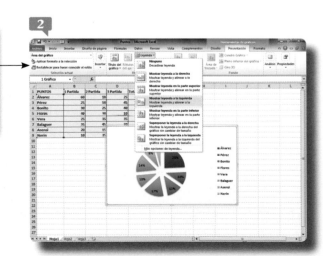

5. Seguidamente, aplicaremos un relleno de fondo a la leyenda. Haga clic en la subficha **Formato** de la ficha contextual **Herramientas de gráficos**.

6. En el grupo de herramientas **Selección actual** se muestra el elemento seleccionado en estos momentos, que es el área del gráfico. Para seleccionar la leyenda, haga clic en el botón de flecha que muestra el elemento **Área del gráfico** y pulse sobre el elemento **Leyenda**.

7. La leyenda se selecciona en el gráfico y ya se encuentra lista para ser editada. Haga clic sobre el botón de punta de flecha del comando **Relleno de forma**, en el grupo de herramientas **Estilos de forma**.

8. Este comando nos permite aplicar un color de fondo sólido o bien una imagen, un degradado o una textura. Haga clic sobre la última muestra de la primera fila de los **Colores del tema** para aplicar ese color como fondo de la leyenda.

9. Para aplicar al elemento seleccionado un efecto (sombra, resplandor o reflejo) haga clic en el comando **Efectos de formas**, en el grupo **Estilos de forma**.

10. Se despliega así una ficha con distintos efectos. Seleccione **Iluminado** y elija una de las opciones que presenta este efecto en el grupo **Variaciones de iluminado**.

11. Deseleccione el gráfico pulsando cualquier celda libre para ver mejor el resultado y guarde los cambios usando la combinación de teclas **Ctrl+G**.

> **IMPORTANTE**
>
> Puede cambiar completamente el aspecto de todos los elementos de un gráfico usando las múltiples herramientas que Excel 2010 pone a su disposición. De este modo sus presentaciones gráficas serán absolutamente personalizadas.

Con Excel 2010 es posible aplicar todo tipo de **efectos** (sombra, resplandor, bisel, reflejo) a casi cualquier elemento de un gráfico.

En el grupo de herramientas **Selección actual** se incluye un menú con todos los componentes del gráfico.

Aplique un color de fondo al elemento **Leyenda**.

Cambiar el fondo y el título de un gráfico

LAS HERRAMIENTAS DE GRÁFICOS de Excel 2010 incluyen efectos especiales como 3D, transparencias y sombreados. Los diferentes elementos que componen un gráfico (área del gráfico, leyenda, título, etiquetas de datos, área de trazado) pueden ser modificados desde la subficha Formato de la ficha contextual Herramientas de gráficos. Las subfichas Diseño y Presentación permiten añadir un fondo al gráfico, modificar la ubicación y el estilo de su título, de la leyenda y de las etiquetas y mover el gráfico.

1. En este ejercicio añadiremos un fondo al gráfico y cambiaremos su título. Seleccione el gráfico pulsando sobre él.

2. Haga clic con el botón derecho del ratón sobre el fondo del gráfico y, del menú contextual que se despliega, elija la opción **Formato del área del gráfico**.

3. Se abre el cuadro Formato del área del gráfico desde el cual podemos modificar el relleno y la línea del área del gráfico y aplicarle sombras y efectos 3D. En este caso, le aplicaremos una textura de fondo. En el apartado **Relleno**, haga clic en el botón de radio **Relleno con imagen o textura**.

4. Como puede ver, es posible aplicar una de las texturas predeterminadas, una que tengamos almacenada en el equipo, o bien una de las imágenes prediseñadas. Haga clic en el botón del campo **Textura** para ver las muestras disponibles.

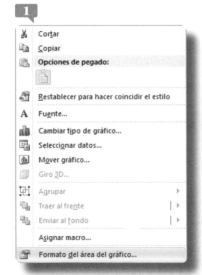

Acceda al cuadro **Formato del área del gráfico** seleccionando esa opción de su menú contextual.

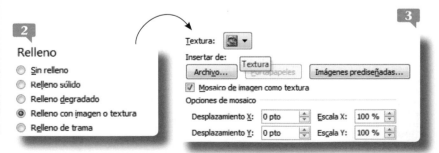

Puede aplicar un relleno sólido, un degradado o un relleno con imagen o textura al fondo de su gráfico. Elija la opción **Relleno con imagen o textura** y vea las texturas disponibles.

5. Haga clic sobre una de las opciones de textura  para seleccionarla y cierre el cuadro Formato del área del gráfico pulsando el botón **Cerrar** para comprobar el resultado sobre el gráfico.

6. El fondo cambia correctamente según nuestra selección. A continuación, cambiaremos el estilo del título del gráfico. Seleccione el título del gráfico pulsando directamente sobre él.

7. Con el título seleccionado haga clic sobre la subficha **Formato** y sobre el comando **Estilos rápidos** del grupo de herramientas **Estilos de WordArt**.

8. Seleccione uno de los estilos predeterminados de WordArt y compruebe el efecto conseguido sobre el título del gráfico.

9. Por último, aplicaremos al título un efecto de reflexión. Haga clic en el comando **Efectos de texto**, que muestra una A sombreada en el grupo de herramientas **Estilos de WordArt**.

10. Como ve, puede añadir efectos de sombra, reflexión e iluminación también a un texto. Pulse sobre el efecto **Reflexión** y elija una de las variaciones de reflejo disponibles. (Recuerde que gracias a la vista previa en directo puede ver el efecto de cada variación con solo situar el puntero del ratón encima.)

11. Para acabar el ejercicio, deseleccione el gráfico pulsando sobre cualquier celda y guarde los cambios.

IMPORTANTE

En el grupo de herramientas **Selección actual** se encuentra activado el elemento que está seleccionado. Si realiza alguna modificación de formato o estilo, los cambios serán aplicados sobre el área seleccionada.

Elija una de las texturas predeterminadas de Excel 2010 para aplicarla al fondo de su gráfico y, si lo desea, modifique algunas de las opciones de mosaico o su nivel de transparencia en el cuadro de **Formato del área del gráfico**.

Puede aplicar un estilo rápido de WordArt a cualquier elemento de texto de su gráfico (al título, a la leyenda, a los datos, etc.).

Elija una de las **Variaciones de reflejo** predeterminadas para aplicar un efecto de reflejo a cualquier texto de su gráfico.

Formatear los datos de un gráfico

CADA DATO DE UN GRÁFICO puede ser formateado de forma particular o conjuntamente con toda la serie a la que pertenece. Pulsando una vez sobre un dato se selecciona toda la serie. Con un nuevo clic queda seleccionado únicamente ese dato. Para modificarlo, se utiliza el cuadro Formato de punto de datos o Formato de series, dependiendo del elemento seleccionado.

1. Para empezar, haga clic sobre una de las porciones de su gráfico y compruebe que, en la hoja de cálculo, queda seleccionada la serie de datos a la que hace referencia.

2. Vuelva a pulsar sobre la porción para que sólo ésa quede seleccionada en el gráfico.

3. Observe que la información del elemento seleccionado se muestra en el grupo de herramientas **Selección actual**.

4. En su tabla de datos, haga doble clic sobre el dato correspondiente al elemento seleccionado 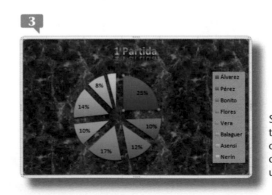, modifique su valor y pulse la tecla **Retorno** para aplicar el cambio a su gráfico.

5. Vuelva a seleccionar la serie de datos que acaba de modificar, sitúese en la subficha **Formato** y haga clic en el botón **Aplicar formato a la selección** del grupo **Selección actual**.

6. Se abre el cuadro **Formato de serie de datos**, desde el que puede modificar aspectos de las porciones como su relleno, su estilo de borde, etc. Para separar las secciones circulares, haga clic a la derecha del botón deslizante del apartado **Sección circular** y desplácelo por ejemplo hasta **50%**.

	A	B	C
1	PUNTOS	1 Partida	2 Partida
2	Álvarez	80	10
3	Pérez	25	50
4	Bonito	30	25
5	Flores	40	30
6	Vera	25	35
7	Balaguer	35	45
8	Asensi	20	15
9	Nerín	10	35

Cambie alguno de los valores de su tabla de origen y vea cómo se actualiza la serie de datos en el gráfico.

Seleccione primero toda la serie de datos de su gráfico y después únicamente una de las porciones.

7. A continuación, sitúese en el apartado **Relleno** y para que todas las porciones sean del mismo color, desactive la opción **Variar colores de los sectores.**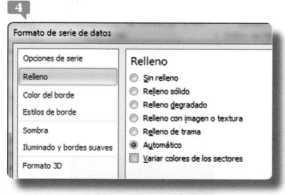

8. Por último, aplicaremos un efecto tridimensional metalizado a las porciones. Active la opción **Formato 3D**.

9. Como puede ver, Excel aplica por defecto un efecto de bisel superior e inferior a las series de datos. Mantenga dicho efecto y haga clic en el botón **Material** del apartado **Superficie**.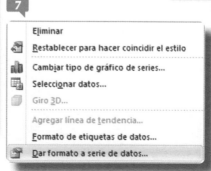

10. Seleccione con un clic el último material del apartado **Estándar**.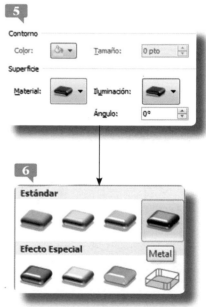

11. Para comprobar el efecto conseguido en su gráfico, cierre el cuadro **Formato de serie de datos** pulsando el botón **Cerrar**.

12. Tenga en cuenta que en función del tamaño de sus porciones, es posible que no pueda ver su correspondiente valor sobre ellas. Para resolver este problema, acceda nuevamente al cuadro **Formato de serie de datos**. (Hágalo esta vez usando la opción adecuada del menú contextual de la serie.)

13. Para reducir el espacio entre las porciones, haga doble clic esta vez en el campo de porcentaje del apartado **Sección circular**, inserte el valor **10** y pulse el botón **Cerrar** para comprobar el resultado.

14. Vea que al modificar la serie de datos en el gráfico cambian también las propiedades de la leyenda, ajustándose a los nuevos valores. Para acabar, deseleccione el gráfico y guarde los cambios.

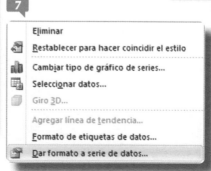

Desde el cuadro **Formato de serie de datos** puede modificar el relleno y el color y el estilo de borde de la serie de datos así como aplicarle efectos de sombra y tridimensionales.

Puede acceder al cuadro de formato de series o de puntos de datos usando el botón adecuado de la Cinta de opciones o bien la opción correspondiente del menú contextual del elemento.

Añadir y sustituir datos en un gráfico

IMPORTANTE

Los datos representados en un gráfico están pensados para reflejar las modificaciones que la tabla de origen pueda sufrir. De este modo, el gráfico se actualizará automáticamente.

EXISTEN VARIAS MANERAS DE AÑADIR datos a un gráfico en Excel. Una de ellas consiste en seleccionar la serie a añadir, pulsar el botón Copiar de la ficha Inicio y, finalmente, elegir la opción Pegar después de seleccionar el gráfico. Otra forma de añadir datos consiste en utilizar la función Seleccionar datos de la ficha Diseño de las herramientas de gráficos. Por último, también puede seleccionar un rango de celdas vacío para añadirlo al gráfico e ir agregando directamente en la hoja de cálculo los valores; verá como la tabla se va actualizando a medida que esos valores se introducen.

1. En este nuevo ejercicio aprenderemos a agregar nuevos datos a un gráfico y a sustituir los existentes. Para empezar, seleccione el gráfico pulsando sobre él y sitúese en la subficha **Diseño** de la ficha **Herramientas de gráficos**. 📍

2. Imagine que ha añadido una columna de datos a su tabla de origen y que desea incluirla en el gráfico. Pulse sobre el botón **Seleccionar datos** del grupo de herramientas **Datos**. 📍

3. Se abre el cuadro de diálogo **Seleccionar origen de datos** 📍 desde el que podemos agregar nuevos datos al gráfico así como agregar, editar o quitar entradas de leyendas. Con el cuadro abierto seleccione el rango de celdas **B1-B9** usando la tecla **Mayúsculas**. 📍

Seleccione el gráfico y sitúese en la subficha **Diseño** de la ficha **Herramientas de gráficos**.

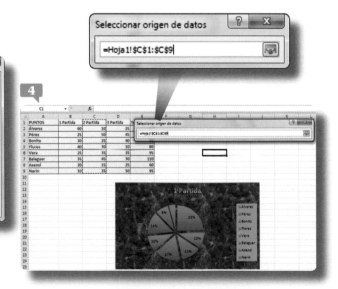

Desde el cuadro de diálogo **Seleccionar origen de datos** es posible seleccionar nuevos rangos de celdas para añadirlos al gráfico.

4. Verá que el programa agrega la entrada de leyenda y las etiquetas correspondiente a los datos seleccionados. Sin embargo, las categorías, no son correctas, puesto que el programa ha interpretado las filas de la tabla como estos datos. Para solucionarlo pulse sobre el botón **Editar** del cuadro **Etiquetas del eje horizontal**.

5. Ahora hay que seleccionar el rango de celdas que contiene los datos que necesitamos. Haga clic sobre la celda **A2**, pulse la tecla **Mayúsculas** y, sin soltarla, haga clic sobre la celda **A9**.

6. Así hemos seleccionado el rango que nos interesa. Pulse el botón **Aceptar** en el cuadro **Rótulo de eje** y de nuevo **Aceptar** en el cuadro de diálogo **Seleccionar origen de datos**.

7. Vea cómo se ha actualizado su gráfico correctamente. Veamos ahora cuál es la reacción del programa frente a la eliminación de un dato en la tabla de origen. Seleccione con un clic la celda **E5** y pulse la tecla **Suprimir** para eliminar su contenido.

8. Automáticamente el gráfico se actualiza según la información de origen. Para acabar, desharemos la última acción para dejar los últimos datos de la tabla tal y como estaban. Pulse sobre el comando **Deshacer**, que muestra una flecha curvada hacia la izquierda en la Barra de herramientas de acceso rápido.

9. Por último, haga clic en el comando **Guardar** de la **Barra de herramientas de acceso rápido**.

IMPORTANTE

El cuadro de diálogo **Seleccionar origen de datos** se minimiza automáticamente cuando usted hace clic sobre la tabla para seleccionar los datos. También pude minimizarlo manualmente haciendo clic en el icono de contracción que aparece junto al campo **Rango de datos del gráfico**.

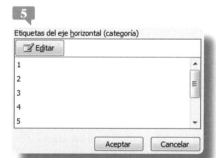

Recuerde que para seleccionar un **rango de celdas** debe pulsar sobre la primera y luego sobre la última mientras mantiene presionada la tecla **Mayúsculas**.

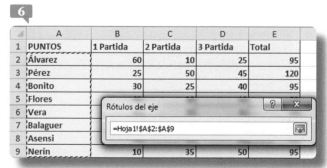

Si modifica los valores de las celdas que participan en un gráfico, éste se actualizará de manera automática.

Guardar un gráfico como plantilla

IMPORTANTE

Además de sus propias plantillas de gráfico personalizadas, puede utilizar otras plantillas como las que le proporcione su empresa o las que le ofrece Microsoft Office Online.

SI HA PERSONALIZADO UN GRÁFICO según sus necesidades o las de su empresa y desea utilizar ese tipo de gráfico en posteriores documentos, puede almacenarlo como plantilla de gráfico (formato .crtx) en la carpeta de plantillas de gráfico de su equipo. Cuando ya no lo necesite, puede eliminarlo de dicha carpeta.

1. En este ejercicio aprenderá a guardar un tipo de gráfico personalizado como plantilla, a recuperarlo y a eliminarlo de la carpeta de plantillas de gráficos. Para empezar, seleccione el gráfico pulsando sobre él.

2. Sitúese en la subficha **Diseño** y pulse sobre el botón **Guardar como plantilla** del grupo de herramientas **Tipo**. 🔲

3. Se abre así el cuadro de diálogo **Guardar plantilla de gráficos**, mostrando la ruta en la que por defecto se almacenan este tipo de documentos. Escriba el nombre de su plantilla en el campo **Nombre** y pulse el botón **Guardar**. 🔲

4. La plantilla ya se encuentra guardada en la carpeta adecuada de Microsoft. Veamos ahora cómo recuperar esa plantilla para aplicarla a un nuevo gráfico. Abra un nuevo libro de Excel que contenga una tabla de datos (por ejemplo el archivo **Autofiltros** que ya hemos utilizado antes).

Seleccione su gráfico personalizado y pulse el botón **Guardar como plantilla** para acceder al cuadro de diálogo **Guardar plantilla de gráficos**. Establezca un nombre para su plantilla y guárdela en la ubicación predeterminada.

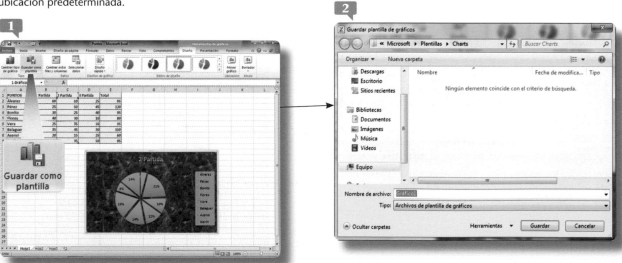

5. Seleccione el rango de celdas que quiera representar gráficamente y sitúese en la ficha **Insertar**.

6. Pulse en el comando **Otros gráficos** del grupo **Gráficos** y elija la opción **Todos los tipos de gráficos**.

7. Recuerde que también puede acceder al cuadro **Insertar gráfico** pulsando en el iniciador de cuadro de diálogo de ese grupo de herramientas. En el panel de categorías de la izquierda seleccione **Plantillas**.

8. Si ha almacenado su plantilla de gráfico en la ruta predeterminada por Excel, ésta debería aparecer en el cuadro.  (En el caso de que la haya guardado en otra ruta, utilice el botón **Administrar plantillas** para localizarla y muévala a la carpeta **Charts**.) Seleccione su plantilla y pulse el botón **Aceptar**.

9. Vea cómo aparece el gráfico con el aspecto personalizado en ejercicios anteriores y guarde los cambios usando el comando **Guardar** de la **Barra de herramientas de acceso rápido**.

El botón **Administrar plantillas**  dentro del cuadro **Insertar gráfico** abre la carpeta en la que se guardan por defecto las plantillas.  Cuando ya no la necesite, selecciónela y pulse la tecla **Suprimir** para eliminarla. Por otro lado, para copiarla a otra carpeta, selecciónela, córtela o cópiela y péguela en la ubicación de destino elegida.

Utilice el botón **Administrar plantillas** para eliminar, mover o cambiar de nombre sus plantillas de gráficos.

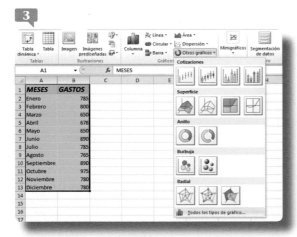

Seleccione el rango de celdas que contiene los datos que desea representar gráficamente y acceda al cuadro **Insertar gráfico**.

Active la opción **Plantillas** del panel de la izquierda del cuadro **Insertar gráfico** y, si ha guardado su plantilla en la ubicación predeterminada, ésta aparecerá en la ventana **Mis plantillas** y podrá aplicarla al nuevo gráfico.

Crear minigráficos

EXCEL 2010 DISPONE DE UN NUEVO COMANDO, denominado Minigráficos, que permite crear pequeños gráficos incrustado en una celda de una hoja de cálculo. Los minigráficos ayudan a detectar modelos en los datos introducidos, proporcionando una representación visual de dichos datos. Es posible escribir texto en la misma celda en la cual se inserta el minigráfico.

IMPORTANTE

Recuerde que es recomendable situar los minigráficos en la celda contigua a los datos a los que se refiere.

1. En este ejercicio conoceremos una novedad que presenta Excel 2010 en cuanto a los gráficos: la inserción de minigráficos. Para empezar haga clic en la celda **F2** del archivo **Puntos** para seleccionarla como destino del minigráfico.

2. En el pestaña **Insertar** de la Cinta de opciones, haga clic sobre la punta de flecha del comando **Minigráficos**. 🔲

3. Excel permite agregar minigráficos de tres tipos: lineal, de columnas o de pérdidas y ganancias. En este caso crearemos un minigráfico lineal. En la lista que se despliega, pulse sobre la opción **Línea**. 🔲

4. Se abre el cuadro de diálogo **Datos**, donde debemos indicar el rango de celdas en los cuales desea basar el minigráfico. Nuestro objetivo es reflejar la progresión de un jugador durante las tres partidas. En el cuadro de diálogo **Crear grupo Minigráfico**, pulse sobre el icono de **contracción** del campo **Rango de datos**. 🔲

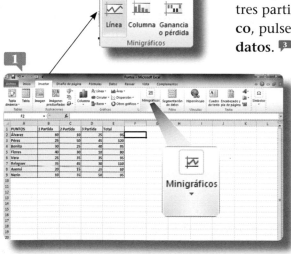

057

5. Seleccione las celdas **B2-D2** con la ayuda de la tecla **Mayúsculas**.

6. Pulse de nuevo sobre el icono de contracción para volver al cuadro **Crear grupo Minigráfico**.

7. Si la celda seleccionada en el campo **Ubicación** es la correcta, pulse el botón **Aceptar** para crear el minigráfico.

8. El minigráfico se inserta y se carga la ficha contextual **Herramientas para minigráficos**. Su subficha **Diseño** permite modificar el aspecto del minigráfico. Probemos a cambiar el minigráfico de celda y ponerlo en una celda con contenido. Seleccione la celda que contiene el minigráfico y haga clic en el botón **Editar** datos del grupo de herramientas **Minigráfico**.

9. Seleccione la opción **Editar ubicación y datos del grupo**.

10. Verá que se abre el cuadro de diálogo **Editar grupo Minigráfico** y la celda en la que se encuentra el minigráfico parpadea. Haga clic en la celda **E2** para seleccionarla.

11. El contenido del campo **Ubicación** se habrá modificado indicando la nueva ubicación del minigráfico. Pulse el botón **Aceptar** para ver el resultado.

12. Haga clic en la celda **E2** para comprobar que el minigráfico no impide utilizar la celda normalmente.

13. Vuelva a colocar el minigráfico en su posición inicial usando el comando **Deshacer** de la **Barra de acceso rápido**.

Puede minimizar el cuadro de diálogo Crear minigráficos utilizando el icono de contracción si el cuadro grande no le permite ver las celdas que quiere seleccionar.

Los minigráficos admiten combinaciones de colores a partir de formatos integrados. Al seleccionar la celda que contiene el minigráfico, se carga la ficha contextual **Herramientas de gráficos**, en cuya subficha **Diseño** se encuentran todos los comandos para modificar este elemento.

Personalizar minigráficos

DESPUÉS DE CREAR UN MINIGRÁFICO, ES POSIBLE controlar qué puntos de valor se muestran (como alto, bajo, primero, último o cualquier valor negativo), cambiar el tipo de minigráfico (Línea, Columna o Pérdida y ganancia), aplicar estilos de una galería o establecer opciones de formato individuales.

1. Para empezar practicaremos con los distintos tipos de minigráfico que ofrece Excel 2010. El grupo de herramientas **Tipo** permite realizar cambios en el tipo de minigráfico después de que éste haya sido creado. Seleccione la celda **F2** y dentro de la ficha contextual **Herramientas para minigráficos** haga clic en el botón **Columna** del grupo **Tipo**. 🔳

2. Verá que el minigráfico se ha modificado. Haga clic sobre el botón **Ganancia o pérdida** para ver su aspecto y vuelva a seleccionar **Línea** para mantener el formato inicial.

3. Vamos a indicar ahora que se visualicen sobre el gráfico los puntos más altos y los más bajos. En el grupo de herramientas **Mostrar**, haga clic sobre las casillas de verificación de la opción **Punto alto** y **Punto bajo**. 🔳

4. Los cambios realizados se van visualizando sobre el minigráfico. 🔳 A continuación, aplicaremos al minigráfico uno de los

Los comandos del grupo **Tipo** permiten modificar el tipo de minigráfico ofreciendo tres opciones: **Línea**, **Columna** y **Ganancias y pérdidas**.

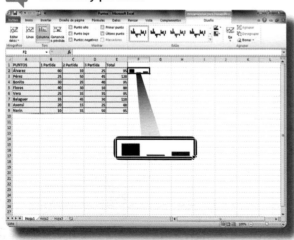

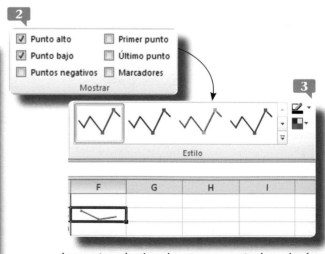

Los puntos seleccionados para ser mostrados se harán visibles en el minigráfico así como en la ficha de estilos.

058

estilos predeterminados que ofrece Excel 2010. Para ello, mantenga la celda **F2** seleccionada y en el grupo de herramientas **Estilos**, haga clic sobre el comando **Más** del panel de estilos rápidos.

5. Del panel de opciones que se despliega, seleccione el que más le convenga y haga clic sobre él.

6. Puede observar que el estilo del minigráfico de las celda **F2** ha cambiado. También es posible realizar cambios de estilo personalizados. Con la celda del minigráfico seleccionada, haga clic en el botón **Color de minigráfico**.

7. Seleccione uno de los colores de la paleta que se despliega, mediante un clic y verá que se aplica automáticamente al minigráfico.

8. También puede modificar los colores de los puntos altos, puntos bajos, etc. Haga clic en el botón **Color de marcador** y seleccione la opción **Punto alto**.

9. Seleccione el color que le interese haciendo clic sobre él.

10. Para acabar, aprenderemos a eliminar un minigráfico. Seleccione la celda en la que se encuentra el minigráfico y en el grupo de herramientas **Agrupar**, pulse el botón **Borrar**.

Para eliminar un minigráfico, seleccione la celda en la que se encuentra y pulse el comando **Borrar** del grupo de herramientas **Agrupar**.

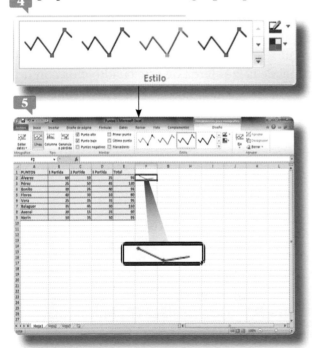

Excel 2010 ofrece gran variedad de estilos predeterminados que puede aplicar a sus minigráficos.

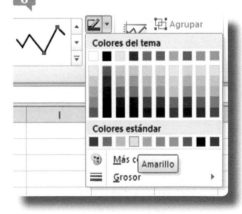

Además de los estilos predeterminados, usted puede crear las combinaciones de colores que desee personalizando así sus minigráficos. Los comandos **Color de minigráfico** y **Color de marcador** permiten llevar a cabo estas personalizaciones.

Crear gráficos SmartArt

IMPORTANTE

Entre los distintos tipos de diagramas, se encuentran los organigramas.

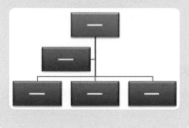

LOS DIAGRAMAS PERMITEN LA REPRESENTACIÓN gráfica de una organización o proyecto. Por ejemplo, mediante elementos gráficos podemos descomponer la estructura organizativa de una empresa en sus elementos básicos. El comando SmartArt, incluido en la ficha Insertar de la Cinta de opciones, abre el cuadro Elegir un gráfico SmartArt, en el que hay que indicar el tipo de diagrama que se quiere añadir. Los diagramas cuentan con una ficha propia en la Cinta de opciones, con cuyas herramientas es posible editarlos.

1. En este ejercicio aprenderá a insertar un diagrama de ciclo en una hoja de cálculo. En una hoja en blanco seleccione la celda **E5** como destino del nuevo gráfico y active la ficha **Insertar** de la Cinta de opciones.

2. Pulse sobre la herramienta **SmartArt** del grupo de herramientas **Ilustraciones**.

3. Se abre el cuadro de diálogo **Elegir un gráfico SmartArt** en el que se muestran todos los tipos de diagramas que podemos crear con Excel. En el apartado de vista previa podemos ver el aspecto del diseño seleccionado y una breve descripción del mismo. En el panel de la izquierda de este cuadro elija con un clic la opción **Ciclo**.

El comando **SmartArt** del grupo de herramientas **Ilustraciones** abre el cuadro de diálogo **Elegir un gráfico SmartArt**.

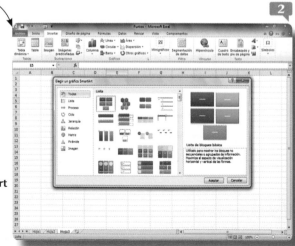

En el cuadro **Elegir un gráfico SmartArt** aparecen todos los tipos de diagramas que ofrece Excel 2010.

4. De los diseños correspondientes a este tipo de diagrama, seleccione el primero de la tercera fila, **Ciclo radial** , y pulse el botón **Aceptar**.

5. Se inserta el diagrama en la hoja y se abre el **Panel de texto** y la ficha contextual **Herramientas de SmartArt**. En el primer campo de texto del panel escriba el término **Neptuno**.

6. Como ve, a medida que va escribiendo, va apareciendo el texto en el elemento del diagrama seleccionado. Sepa que también puede insertar el texto directamente en cada uno de los elementos, sin necesidad de mostrar el Panel de texto. En los siguientes campos de texto escriba **Proteo**, **Nereida**, **Larisa** y **Galatea**.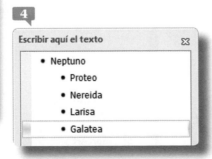

7. Para añadir una forma al diagrama, pulse en la herramienta **Agregar forma** del grupo de herramientas **Crear gráfico**.

8. Aparece así un nuevo elemento en el diagrama. En función del tipo de diagrama con el que esté trabajando, Excel ofrece la posibilidad de agregar formas detrás, delante, encima o debajo de la seleccionada. En la nueva forma escriba el nombre **Náyade**.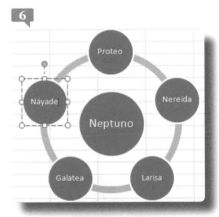

9. Para dar por acabado este ejercicio, deseleccione el diagrama pulsando en cualquier celda vacía de la hoja y guarde el libro con el nombre **Diagrama** en la carpeta **Documentos** de su equipo.

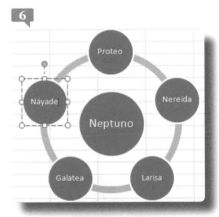

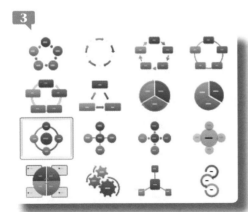

Dentro de cada una de las categorías de diagramas **SmartArt**, Excel 2010 ofrece una gran variedad de tipos.

Puede escribir el texto de su diagrama en el **Panel de texto** o bien directamente en sus elementos. Para mostrar el **Panel de texto**, actívelo en el grupo de herramientas **Crear gráfico**.

El botón **Agregar forma** del grupo de herramientas **Crear gráfico** agrega nuevas formas al diagrama en función del tipo que se esté creando.

Editar gráficos SmartArt

LAS OPCIONES DE FORMATO ENRIQUECIDO permiten cambiar el diseño de los diagramas y agregarles efectos visuales espectaculares, como sombreados, brillos, reflejos, etc. Para modificar el aspecto de un diagrama se utilizan las herramientas incluidas en la ficha Herramientas de SmartArt, que aparece al seleccionar ese elemento.

1. Para empezar, seleccione el diagrama pulsando sobre el elemento central. **1**

2. Quedan seleccionados así el diagrama y el elemento central del mismo, a la vez que aparece la ficha contextual **Herramientas de SmartArt**. Cada uno de los elementos que componen un diagrama, esto es, las formas, el texto, los conectores, puede ser modificado de manera individual con sus propias herramientas de edición. Active la subficha **Diseño**. **2**

3. Desde esta ficha podemos agregar formas al diagrama, modificar su diseño, aplicarle diferentes estilos y recuperar su aspecto inicial en caso de que los cambios no sean de nuestro agrado. En primer lugar, vamos a cambiar los colores del diagrama. Pulse sobre el botón **Cambiar colores**, del grupo de herramientas **Estilos SmartArt**. **3**

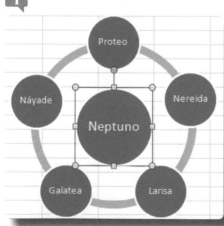

Cada uno de los elementos que componen un diagrama SmartArt pueden ser editados con sus propias herramientas.

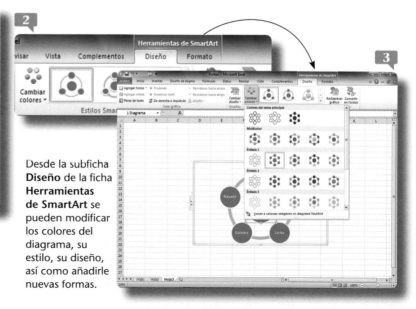

Desde la subficha **Diseño** de la ficha **Herramientas de SmartArt** se pueden modificar los colores del diagrama, su estilo, su diseño, así como añadirle nuevas formas.

4. Para animar la hoja, escoja una combinación multicolor.

5. Seguidamente, aplicaremos un estilo tridimensional al orga-nigrama. Pulse sobre el botón **Más** de la **Galería de estilos SmartArt** y elija uno de la categoría **3D**.

6. Ahora veremos las herramientas que se incluyen en la subfi-cha **Formato**. Actívela.

7. Los comandos de esta ficha son diferentes en función del ele-mento del diagrama que esté seleccionado. En este caso, pode-mos modificar la forma, el relleno y el estilo del elemento en el que hemos introducido el término Neptuno. Haga clic en el botón **Relleno de forma** del grupo de herramientas **Estilos de forma** y elija uno de los colores estándar. 5

8. Despliegue el comando **Efectos de forma**, seleccione la op-ción **Iluminación** y elija una de sus variaciones. 6

9. Por último, veremos que también es posible editar individual-mente el texto contenido en los elementos de un diagrama. Aprovechando que el cursor de edición se encuentra ya sobre el nombre Neptuno, le aplicaremos un estilo de WordArt pre-definido. Haga clic en el botón **Más** de la galería de **WordArt** y pulse sobre uno de los diseños para aplicarlo al texto. 7

10. De este modo, podríamos ir cambiando el color del contorno de las letras, el del contorno de las porciones, el de relleno de ambos elementos, aplicarle efectos como sombras, reflejos, difuminados, etc. Deseleccione el diagrama pulsando en una zona libre de la diapositiva y guarde los cambios.

060

6

Variaciones de iluminado

Existen muchos efectos de formas que puede aplicar a los elementos de un diagrama: iluminación, efectos de reflexión y sombreado, biseles, etc.

4

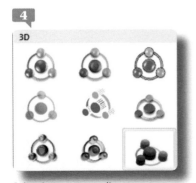

3D

Seleccione para su diagrama uno de los estilos tridimensionales que muestra Excel 2010 en su galería.

5

Automático

Colores del tema

Colores estándar

Sin relleno

Más colores de relleno...

Imagen...

Degradado

Textura

Puede rellenar cada uno de los componentes de su diagrama con colores estándar, con imágenes, con degradados o con texturas. Elija la opción **Sin relleno** para que sean transparentes.

7

Se aplica al texto seleccionado

Insertar encabezados y pies de página

IMPORTANTE

La ficha **Herramientas para encabezado y pie de página** muestra todos los elementos que pueden añadirse en el encabezado o en el pie de página; entre ellos se encuentran el número de página, la fecha, la hora, el nombre del archivo y el nombre de la hoja. Además, nos permite crear encabezados y pies de página diferentes para páginas pares e impares o diferentes sólo para la primera página, así como ajustar su escala con el resto del documento y alinearlos con los márgenes de la página.

INCLUIDA EN EL GRUPO TEXTO de la ficha Insertar encontramos la herramienta Encabezado y pie de página. Al activarla, la hoja se muestra con la vista Diseño de página y con el encabezado seleccionado y listo para ser editado. A la vez que se añade el encabezado, se muestra la ficha Herramientas para encabezado y pie de página, que nos permite modificar el diseño de estos elementos.

1. En este ejercicio aprenderá a añadir encabezados y pies de página a una hoja de cálculo. Para empezar, active la pestaña **Insertar** de la Cinta de opciones y pulse sobre la herramienta **Encabezado y pie de página** del grupo de herramientas **Texto.** 🗩

2. Automáticamente cambia el modo de visualización de la hoja y aparece la ficha contextual **Herramientas para encabezado y pie de página**. Con las herramientas que ofrece podemos seleccionar los campos que vamos a incluir en el encabezado o en el pie de página. Observe que el encabezado se muestra ya en modo de edición. Veamos cuáles son los encabezados automáticos que ofrece Excel. Haga clic en el botón **Encabezado** del grupo **Encabezado y pie de página**. 🗩

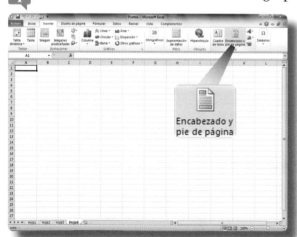

En el grupo de herramientas **Texto** de la ficha **Insertar** se encuentra la herramienta que permite insertar automáticamente encabezados y pies de página en una hoja de cálculo.

Al agregar un encabezado o un pie de página la hoja se muestra en modo de diseño y aparece una ficha contextual con las herramientas de edición de estos elementos.

3. Como ve, son muchos los elementos que pueden mostrarse en los encabezados y en los pies de página. Entre ellos se encuentran el número de la página, el nombre de la hoja y del libro, la ruta de acceso a éste, etc. Seleccione, por ejemplo, la opción **Confidencial; (fecha); Página 1.**

4. Los encabezados y pies de página son textos, y como tales pueden ser editados con las herramientas habituales del programa. Seleccione un elemento del encabezado para que se active la subficha **Diseño** de la ficha **Herramientas para encabezado y pie de página.**

5. Pulse sobre la herramienta **Ir al pie de página** del grupo de herramientas **Navegación.**

6. Haga clic sobre el botón **Hora actual** en el grupo de herramientas **Elementos del encabezado y pie de página.**

7. Al encontrarse el cuadro de texto seleccionado, no podemos ver la hora actual, sino el nombre de dicho elemento. Para ver el efecto conseguido, haga clic en el cuadro de la derecha del pie de página.

8. Como ve, la creación de encabezados y pies de página no representa dificultad alguna. Haga clic en una celda libre para salir del modo de edición de encabezados y pies de página.

9. Observe que, para poder visualizar los encabezados y pies de página, el programa debe mostrarse en modo **Vista Diseño de página**. Active la vista **Normal** pulsando sobre el primer icono de acceso a vistas de la Barra de estado y acabe el ejercicio guardando los cambios realizados.

Al insertar un encabezado o un pie de página, la hoja de cálculo se muestra en la vista **Diseño**. Para recuperar la vista Normal utilice el icono de la Barra de estado.

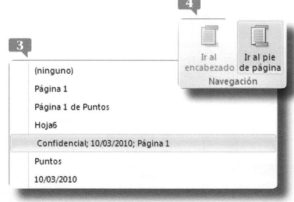

Excel 2010 ofrece un gran número de encabezados y pies de página predeterminados. Elija uno de ellos en el grupo **Encabezado y pie de página**.

Los botones del grupo de herramientas **Navegación** nos permiten seleccionar rápidamente el encabezado o el pie de página de una hoja.

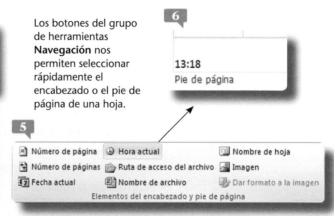

En el encabezado y en el pie de página puede insertar elementos como el número de la página, la fecha y la hora actuales, etc.

Insertar imágenes prediseñadas

EXCEL PERMITE INSERTAR IMÁGENES en sus hojas de cálculo. Las imágenes proporcionadas por el programa forman parte de galerías con archivos organizados por categorías o temas. Puede acceder a las Colecciones de Office, donde encontrará imágenes, películas, fotografías e incluso archivos de audio almacenados en el equipo, o en el sitio web de Microsoft, donde hallará infinidad de archivos multimedia.

1. Seleccione una celda de una hoja en blanco, active la ficha **Insertar** y haga clic en el botón **Imágenes prediseñadas** del grupo **Ilustraciones**.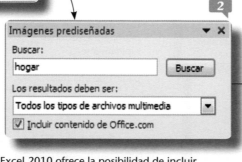

2. Aparece el panel **Imágenes prediseñadas** donde definiremos el tipo de imagen que deseamos encontrar en la galería de imágenes. Haga clic en el campo **Buscar** y escriba la palabra **hogar**.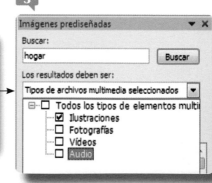

3. Si selecciona la opción **Incluir contenido de Office.com** excel realizará la búsqueda en el sitio web de Office sin que para ello tenga usted que acceder a ningún navegador. Active **Incluir contenido de Office.com**

4. Ahora haga clic sobre la flecha situada a la derecha del campo **Los resultados deben ser** y desactive las opciones **Fotografías**, **Películas** y **Sonidos**.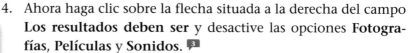

Use el botón **Imágenes prediseñadas** de la ficha **Insertar** para acceder al panel del mismo nombre. Inserte una palabra clave en el campo de búsqueda y determine en qué colecciones deben buscarse las imágenes.

Excel 2010 ofrece la posibilidad de incluir contenido de Office.com en la búsqueda de imágenes sin necesidad de utilizar ningún navegador. Las imágenes del sitio web se visualizan y abren directamente en Excel.

5. Una vez establecidas las condiciones de búsqueda, pulse el botón **Buscar**.

6. El panel muestra varias imágenes. Sitúe el puntero del ratón sobre una de ellas, haga clic en el botón de punta de flecha que aparece y, del menú que se despliega, elija la opción **Vista previa o propiedades**.

7. La nueva ventana muestra la vista previa de la imagen junto con un resumen de sus propiedades: la extensión, el tamaño, su orientación, etc. Pulse el botón **Cerrar** y, a continuación, haga clic en el centro de la imagen para insertarla.

8. La imagen se inserta en la hoja a la vez que aparece la ficha contextual **Herramientas de imagen**, con las herramientas necesarias para modificar su aspecto. Vamos a aplicarle un estilo predeterminado. Haga clic en el botón **Más** de la galería **Estilos de imagen** y seleccione uno de ellos.

9. Como practicaremos en otro ejercicio con la edición de imágenes, deseleccione su imagen pulsando en cualquier celda libre y guarde los cambios.

Las opciones que se despliegan mediante el botón de punta de flecha de cada imagen nos dan acceso a la vista previa. Haciendo clic sobre la imagen ésta se inserta en la hoja de cálculo.

La ventana **Vista previa y propiedades** ofrece la posibilidad de **Editar las palabras clave** que facilitan la búsqueda de la imagen.

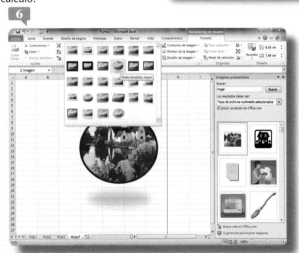

Los estilos de imagen muestran una vista previa del aspecto que tendrá la imagen al aplicarle alguno de estos estilos.

Insertar imágenes desde archivos

OTRA FORMA DE INSERTAR IMÁGENES es a través del comando Insertar imagen desde archivo, incluida en el grupo Ilustraciones de la ficha Insertar. Esta opción accede directamente a la carpeta Imágenes en la que Excel entiende que el usuario guardará sus imágenes.

1. Sitúese en una celda en blanco, active la ficha **Insertar** y haga clic en el botón **Imagen** del grupo **Ilustraciones**.

2. La ventana **Insertar imagen** muestra, por defecto, el contenido de la carpeta **Imágenes**. Haga doble clic sobre la carpeta **Imágenes de muestra** para acceder a su contenido.

3. Seleccione una de las imágenes de muestra de Windows y pulse el botón **Insertar**.

4. Si es necesario, utilice las **barras de desplazamiento** para mostrar la imagen centrada, teniendo en cuenta que ésta se inserta en la hoja con sus dimensiones predeterminadas.

5. Como recordará, al insertar una imagen aparece la ficha **Herramientas de imagen**. Con estas herramientas es posible cambiar el brillo y el contraste de la imagen, añadirle efectos, etc. Como trabajaremos en el siguiente ejercicio con las herramientas de edición de imágenes, en éste únicamente veremos

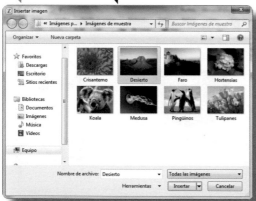

El botón **Imagen** del grupo de herramientas **Ilustraciones**, en la ficha **Insertar**, abre el cuadro de diálogo **Insertar imagen**, que muestra por defecto el contenido de la carpeta **Imágenes**.

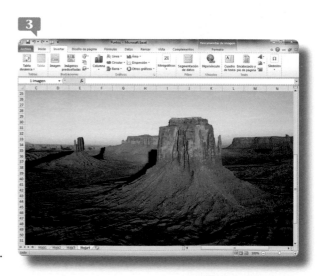

063

el modo de reducir su tamaño. Puede hacerlo introduciendo directamente nuevos valores en los campos **Altura** y **Anchura** del grupo **Tamaño** o bien accediendo al cuadro **Tamaño y propiedades**. Haga clic en el iniciador de cuadro de diálogo del grupo de herramientas **Tamaño**. **4**

6. En esta ocasión, reduciremos la escala de la imagen proporcionalmente. Haga doble clic en el campo **Alto** del apartado **Escala**, inserte el valor **50** y pulse el botón **Cerrar**. **5**

7. Nuevamente centre la imagen si es necesario usando las barras de desplazamiento para comprobar el resultado de la reducción.

8. Por último, veremos que es posible acceder al cuadro de formato de la imagen desde su menú contextual para modificar sus principales propiedades. Haga clic con el botón derecho del ratón sobre la imagen y, de su menú contextual, elija la opción **Formato de imagen**. **6**

9. Se abre así el cuadro **Formato de imagen** **7**, desde cuyos apartados puede modificar el relleno y el borde de la imagen, añadirle efectos de sombreado o tridimensionales, agregarle un cuadro de texto, etc. Acabe el ejercicio cerrando este cuadro y deseleccionando la imagen.

Puede cambiar el tamaño de una imagen insertada introduciendo los nuevos valores de altura y anchura en el grupo **Tamaño** o bien en el cuadro **Tamaño y propiedades**, que se abrirá con el iniciador de cuadro de diálogo de ese grupo.

El menú contextual de la imagen incluye una opción para acceder a su cuadro de formato.

Editar las imágenes

LA INCLUSIÓN DE IMÁGENES PERMITE realizar el diseño de las hojas de cálculo, convirtiéndolas en documentos mucho más atractivos y personalizados. Como podrá comprobar, son muchas y variadas las formas de modificar una imagen, las más importantes de las cuales son tratadas en este ejercicio.

1. En primer lugar, procederemos a modificar el brillo y el contraste de la imagen, así como la nitidez. Haga clic sobre la imagen insertada en el ejercicio anterior para seleccionarla y mostrar así la ficha contextual **Herramientas de imagen**.

2. Active la subficha **Formato** y pulse en el comando **Correcciones** del grupo de herramientas **Ajustar**.

3. Excel ofrece algunas combinaciones predeterminadas de brillo y contraste con una vista previa. Seleccione con un clic la opción que más le guste del menú que se despliega. 🔲

4. Con el botón **Color** de este mismo grupo de herramientas puede colorear la imagen para aplicarle una escala de grises o un tono sepia, por ejemplo. Pulse dicho botón y elija el tono que más le guste. 🔲

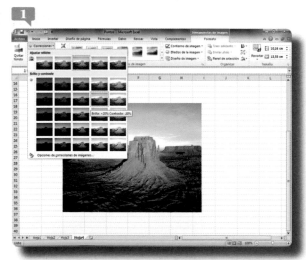

Puede cambiar el brillo, contraste y nitidez de la imagen usando las opciones incluidas en el comando **Correcciones** de la ficha **Herramientas de imagen**.

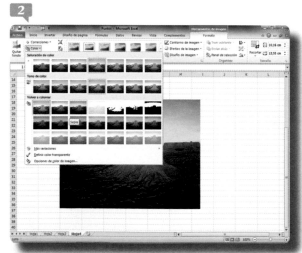

El comando **Color** del grupo de herramientas **Ajustar** despliega un panel que ofrece distintas opciones de color, tono y saturación.

5. Ahora vamos a añadir un marco a la imagen. Haga clic en el comando **Contorno de imagen** del grupo **Estilos de imagen**, pulse sobre la opción **Grosor** y seleccione, por ejemplo, una línea de 6 puntos. **3**

6. Para cambiar el color del borde, vuelva a pulsar en el comando **Contorno de imagen** y elija uno de los colores de la paleta de colores estándar.

7. Seguidamente aplicaremos a la imagen un efecto de bordes suavizados que eliminará el que le acabamos de agregar. Haga clic en el comando **Efectos de la imagen** del grupo **Estilos de imagen**, pulse sobre la opción **Bordes suaves** y elija una de las opciones más suavizadas para ver mejor la diferencia.

8. Ahora, seleccione el comando **Quitar fondo** del grupo de herramientas **Ajustar**. **4**

9. Automáticamente se activa la pestaña **Eliminar del fondo**, al tiempo que parte de la imagen queda cubierta por una capa fucsia. **5** Ésta será la parte que se eliminará. Seleccione el comando **Marcar las área para mantener**.

10. El puntero del ratón se convierte en un lápiz, con el que puede seleccionar las áreas de la imagen que quiere mantener. Haga clic sobre algunos puntos de la capa fucsia.

11. Observe que aumenta así el área de imagen visible. Pulse sobre el botón **Mantener cambios** y vea el resultado. **6**

12. Acabe el ejercicio cerrando el cuadro de formato, deseleccionando la imagen y guardando los cambios.

064

El comando **Contorno de imagen** añade un marco a la imagen.

El comando **Quitar fondo** activa la pestaña **Eliminación del fondo**, cuyas herramientas permiten eliminar partes de la imagen y mantener sólo las que nos interesan.

Insertar WordArt

LA FUNCIÓN WORDART ESTÁ PRESENTE EN LA MAYORÍA de las aplicaciones que forman parte de la suite de Office. Se trata de una función de texto y a la vez de diseño. Las formas disponibles en WordArt son estilos de títulos de lo más variados que pueden insertarse en las hojas y, posteriormente, modificarse.

1. Las herramientas necesarias para insertar un texto de WordArt se encuentran en la ficha Insertar de la Cinta de opciones mientras que las que permiten modificar ese elemento se hallan en la subficha Formato de la ficha contextual Herramientas de dibujo. Seleccione una celda vacía de su hoja, active la ficha **Insertar** y haga clic en el botón **WordArt** del grupo de herramientas **Texto**.

2. De la galería de estilos de WordArt que aparece, elija, por ejemplo, el último de la tercera fila.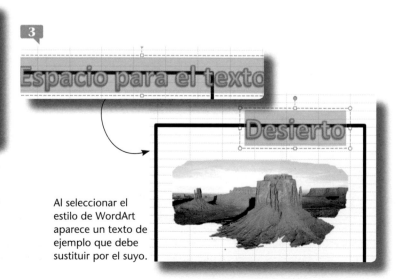

3. Aparece en el centro de la hoja el texto de ejemplo **Espacio para el texto**, con las propiedades predeterminadas del estilo de WordArt seleccionado. En el lugar indicado, escriba un texto, por ejemplo **Desierto** y selecciónelo con un doble clic.

4. Sitúe el puntero del ratón en uno de los bordes del cuadro de texto. Cuando el puntero cambie de forma y muestre cuatro flechas, haga clic y, sin soltar el botón del ratón, arrastre el

El comando **WordArt** se encuentra en el grupo de herramientas **Texto** de la ficha **Insertar**. Al pulsar sobre él se despliega una galería de estilos de entre los que puede seleccionar el que prefiera.

Al seleccionar el estilo de WordArt aparece un texto de ejemplo que debe sustituir por el suyo.

texto hasta el lugar que le interese, punto en el que ya puede soltar el botón del ratón.

5. El grupo de herramientas **Estilos de WordArt** permite modificar el color de relleno y contorno del texto y aplicarle efectos especiales; podemos cambiar el estilo de WordArt seleccionado y acceder al cuadro de diálogo **Formato de efectos de texto**, donde se encuentran todas las propiedades de este elemento. Haga clic en el botón de punta de flecha del comando **Relleno de texto** ⬛, que muestra una letra A subrayada, pulse en la opción **Degradado** y haga clic en **Más degradados**. ⬛

6. En el cuadro **Formato de efectos de texto**, pulse sobre el botón **Colores preestablecidos**, seleccione una de las muestras ⬛ y pulse el botón **Cerrar** para salir y ver el resultado.

7. Ahora aplicaremos al texto un efecto de reflexión. Pulse en el comando **Efectos de texto**, que muestra una **A** con efecto de resplandor en el grupo **Estilos de WordArt**, haga clic en la opción **Reflexión** y elija una de las variaciones de reflejo. ⬛

8. Por último, elegiremos otro de los estilos de WordArt disponibles. Haga clic en el botón **Más** de la galería de estilos de WordArt y seleccione uno de ellos. ⬛

9. Como ve, puede crear textos espectaculares y llamativos con muy poco esfuerzo gracias a la herramienta de diseño WordArt. Acabe el ejercicio deseleccionando el texto y guardando los cambios.

En cualquier momento puede **cambiar** un estilo de WordArt por otro accediendo a la galería de WordArt o modificando a su gusto los diferentes elementos del texto.

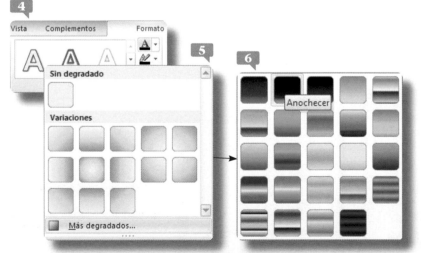

Puede elegir una de las variaciones de degradado que aparecen en el submenú **Degradado** del comando **Relleno de texto** o bien acceder al cuadro **Formato de efectos de texto** mediante el comando **Más degradados** para elegir otro de los degradados predeterminados.

Como si se tratara de una imagen, sobre un texto WordArt puede aplicar efectos como sombras, reflejos, resplandores, biseles, etc. Todos ellos se encuentran en el comando **Efectos de texto** del grupo **Estilos de WordArt**.

Crear y modificar vínculos

UN VÍNCULO ES UNA REFERENCIA A OTRO LIBRO, a otra celda o a otro programa. La principal ventaja de los vínculos es que se actualizan. Así pues, entendemos que un objeto vinculado es un objeto creado en un archivo, llamado de origen, que luego se inserta en un archivo de destino manteniendo una conexión entre ambos.

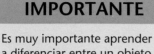
1. En este ejercicio, utilizaremos dos libros distintos: **Puntos. xlsx** y **Autofiltro.xlsx.** Para empezar asegúrese de que tiene estos dos archivos abiertos y, si no es así, ábralos desde la pestaña **Archivo**.

2. Primero vincularemos una celda de una hoja a otra celda de otra hoja del mismo libro. Seleccione la celda **B2** del libro **Puntos** y haga clic en el comando **Copiar** del grupo de herramientas **Portapapeles** de la ficha **Inicio**. 🔲

3. Active la **Hoja3** de su libro haciendo clic en su etiqueta y seleccione la celda **B1**.

4. Ahora debemos acceder a las opciones de pegado. Despliegue el comando **Pegar** y, de la lista de opciones de pegado que aparece, seleccione la opción **Pegar vínculo**, el segundo icono de la sección **Otras opciones de pegado**. 🔲

5. Observe la Barra de fórmulas 🔲: aparece el nombre de la hoja y la celda de origen a la que acabamos de vincular la celda

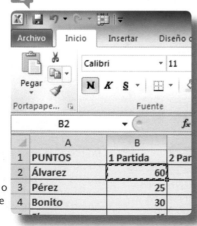

Seleccione una celda con contenido y cópiela en el Portapapeles usando el comando **Copiar** o la combinación de teclas **Ctrl+C**.

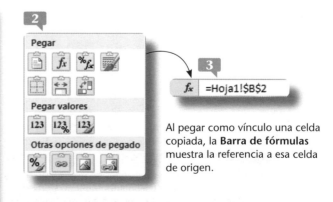

Al pegar como vínculo una celda copiada, la **Barra de fórmulas** muestra la referencia a esa celda de origen.

seleccionada. Para vincular celdas de distintas hojas de un mismo libro debemos construir la fórmula refiriéndonos a la celda de la otra hoja con la siguiente sintaxis: **nombredela hoja!referenciadelacelda**. Vamos a comprobar si realmente hemos vinculado las hojas. Active la **Hoja1** haciendo clic en su etiqueta.

6. Ahora modificaremos el valor de la celda de origen para ver si la celda vinculada de destino actualiza su contenido. Haga doble clic sobre la celda **B2**, escriba el valor **35** y pulse **Retorno**.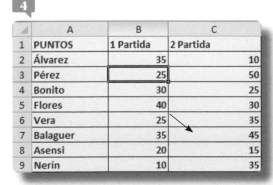

7. Active de nuevo la **Hoja3** y observe la celda vinculada.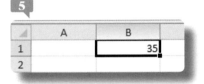

8. Su contenido es el mismo que el de la celda de origen. Seguidamente, vamos a vincular una celda de este libro con otra de otro libro. Haga clic en la pestaña **Vista**, pulse el botón **Cambiar ventanas** y active el libro **Autofiltro** pulsando sobre su nombre.

9. Ahora copiaremos una celda con contenido. Haga clic sobre la celda **B2** y cópiela mediante la combinación de teclas **Ctrl+C**.

10. Volveremos al libro **Puntos**. Despliegue de nuevo el comando **Cambiar ventanas** y pulse sobre este libro.

11. Pegaremos como vínculo el contenido copiado. Para ello active la ficha **Inicio**, despliegue el comando **Pegar** y elija la opción **Pegar vínculo**.

12. Observe ahora la **Barra de fórmulas**  y, si lo desea, compruebe que las dos celdas están vinculadas accediendo al otro libro y modificando en él la celda de origen. Para acabar pulse la tecla **Esc** para vaciar el Portapapeles y guarde los cambios.

5

	A	B
1		35
2		

6

Guardar área de trabajo | Cambiar ventanas ▾ | Macros ▾

1 Autofiltro
✓ 2 Puntos

Utilice el comando **Cambiar ventanas** de la ficha **Vista** para pasar de un libro a otro cuando tenga varios abiertos.

4

	A	B	C
1	PUNTOS	1 Partida	2 Partida
2	Álvarez	35	10
3	Pérez	25	50
4	Bonito	30	25
5	Flores	40	30
6	Vera	25	35
7	Balaguer	35	45
8	Asensi	20	15
9	Nerín	10	35

Después de vincular dos celdas de diferentes hojas, modifique el contenido de la de origen y compruebe que el de la celda de destino se actualiza.

7

fx =[Autofiltro.xlsx]Hoja1!$B$2

Vea la fórmula que aparece en la **Barra de fórmulas** al vincular celdas de diferentes libros.

Crear y seleccionar hipervínculos

LA TÉCNICA DE LOS HIPERVÍNCULOS tan utilizada en las páginas de Internet ha saltado a las aplicaciones de ofimática moderna, como las incluidas en Microsoft Office. Un hipervínculo es un enlace que conecta directamente con otro lugar de un mismo libro o con otro archivo. Este archivo puede estar generado por otra aplicación, de modo que, si se pulsa un hipervínculo de este tipo, al abrirse el archivo también se abrirá automáticamente la aplicación que lo gestiona.

1. Empezaremos creando un hipervínculo en una celda que enlazará con otra de las celdas de esta misma hoja. Seleccione la celda **C3** del libro **Puntos**, active la ficha **Insertar** y haga clic en el botón **Hipervínculo**. ◼1

2. Se abre el cuadro de diálogo **Insertar hipervínculo** que, por defecto, muestra el contenido de la carpeta **Mis documentos**. Esta carpeta pertenece a la categoría **Archivo o página Web existente**, tal y como se observa en el apartado **Vincular a**. Sin embargo, en nuestro caso trataremos de crear un vínculo entre dos celdas de la misma hoja. Pulse sobre la categoría **Lugar de este documento**. ◼2

3. Se muestran ahora las hojas de este libro y puede seleccionar cualquiera de ellas y definir la referencia de la celda con la que desea vincularse. Por defecto, Excel propone la celda A1 de la

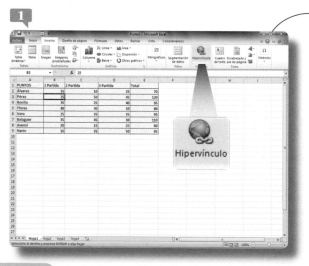

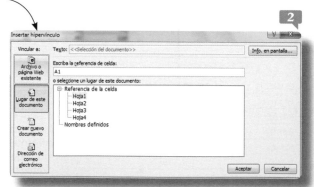

Utilice el comando **Hipervínculo** para acceder al cuadro **Insertar hipervínculo** y seleccionar en él el lugar del libro al que desea vincular la celda.

Hoja1. En el campo **Escriba la referencia de celda** escriba el nombre de una celda y, tras seleccionar una hoja diferente de la activa , pulse el botón **Aceptar**.

4. Como puede ver, el contenido de la celda seleccionada aparece en color azul. Esta característica es propia de los hipervínculos y facilita su identificación. Excel facilita información acerca de los hipervínculos creados y su destino a través de etiquetas emergentes que aparecen al pasar el puntero por encima de los hipervínculos. Compruébelo y pulse después sobre la celda para ir a la de destino. 🔲

5. A continuación, crearemos otro tipo de hipervínculo, aquél que enlaza con los datos de un libro distinto al que contiene el enlace. Pulse en la celda **D7** utilizando el botón derecho del ratón y, en el menú contextual que aparece, seleccione la opción **Hipervínculo**. 🔲

6. En el cuadro de diálogo **Insertar hipervínculo** haga clic en la categoría **Archivo o página Web existente**, localice y seleccione el archivo **Autofiltro** pulse el botón **Aceptar**. 🔲

7. Para comprobar que el nuevo hipervínculo funciona, pulse sobre él, de color azul, para abrir el libro al que está asociado.

Efectivamente, se abre el libro al que ha vinculado la celda. Recuerde que puede añadir hipervínculos a documentos creados con otras aplicaciones.

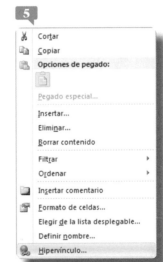

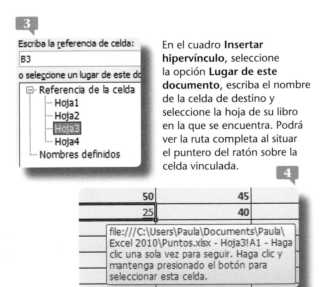

En el cuadro **Insertar hipervínculo**, seleccione la opción **Lugar de este documento**, escriba el nombre de la celda de destino y seleccione la hoja de su libro en la que se encuentra. Podrá ver la ruta completa al situar el puntero del ratón sobre la celda vinculada.

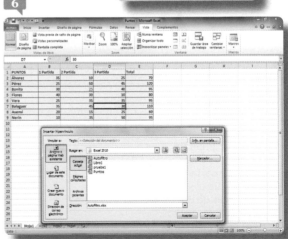

Puede crear hipervínculos a puntos del mismo documento, a otros documentos creados con Excel o con otros programas o a direcciones de correo electrónico.

Insertar objetos vinculados

POR OBJETO SE ENTIENDE CUALQUIER ELEMENTO, ya sea un archivo de texto, de audio, una imagen, etc. El hecho de insertar un objeto vinculado implica que éste se modificará automáticamente en el archivo de destino cada vez que sufra cualquier tipo de cambio en su ubicación de origen.

1. En este ejercicio insertaremos un objeto vinculado en una hoja de cálculo. En concreto, trabajaremos con un documento de texto, llamado **Odisea.docx**, que puede descargar desde nuestra página web. Quan disponga del archivo en cuestión guardado en su equipo, haga clic sobre la celda vacía **D8** del documento **Autofiltro**, active la pestaña **Insertar** y pulse sobre el comando **Insertar objeto**, del grupo de herramientas **Texto**.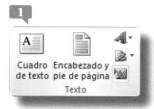

2. El cuadro de diálogo **Objeto** presenta dos fichas. La ficha **Crear nuevo** muestra una serie de tipos de archivos que el usuario puede escoger. Una vez seleccionada cualquiera de estas opciones, Excel abrirá la aplicación correspondiente para crear desde cero el tipo de archivo seleccionado. En nuestro caso, vincularemos un archivo ya existente. Pulse sobre la pestaña **Crear de un archivo**.

3. Ahora procederemos a buscar el archivo que deseamos vincular. Para ello, pulse el botón **Examinar**.

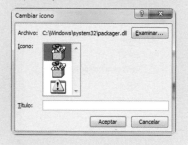

Acceda al cuadro de diálogo **Objeto** usando el botón del mismo nombre del grupo de herramientas **Texto**, en la ficha **Insertar**. Después, sitúese en la ficha **Crear de un archivo** de este cuadro y use el botón **Examinar** para localizar el archivo que va a incrustar.

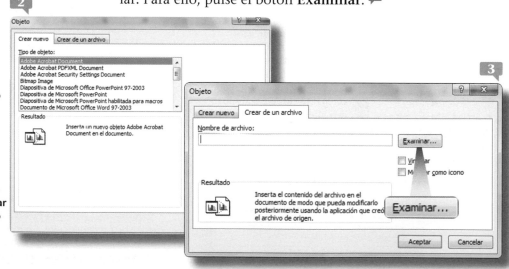

068

4. Excel abre el cuadro **Examinar** mostrando el contenido de la carpeta **Documentos**. Localice y seleccione el archivo **Odisea. docx** y pulse el botón **Insertar**.

5. De vuelta en el cuadro de diálogo **Objeto**, dentro del espacio reservado al nombre de archivo figura la ubicación del documento seleccionado. Ahora debe asegurarse de que éste objeto se vincule a su archivo de origen. Para ello, marque la casilla de verificación de la opción **Vincular** y pulse el botón **Aceptar**.

6. La opción **Mostrar como icono** hace que el objeto se inserte en forma de icono. Mantenga esa opción desactivada y pulse el botón **Aceptar**.

7. El archivo vinculado se ha insertado en la hoja seleccionada del libro abierto. Guarde los cambios pulsando sobre el comando **Guardar** de la **Barra de herramientas de acceso rápido**.

Puede completar el ejercicio abriendo el documento que ha insertado como objeto en su hoja de cálculo y realizando alguna modificación en él para comprobar que los cambios se actualizan automáticamente.

Localice el archivo que desea insertar como objeto en su libro en el cuadro **Examinar** y active la opción Vincular para que los cambios realizados en el original se reflejen en el objeto insertado.

Compruebe que el objeto se inserta correctamente, abra el original, realice algún cambio sencillo y vea cómo se actualiza automáticamente el objeto vinculado.

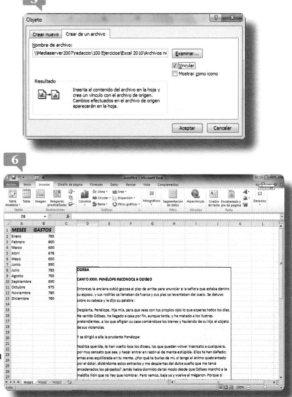

Crear rangos

UN RANGO ES UN CONJUNTO DE CELDAS. Estas celdas pueden ser consecutivas o estar separadas dentro de la hoja de cálculo. Los rangos se crean seleccionando las celdas con el ratón o con las teclas de desplazamiento. Si las celdas que componen el rango no son consecutivas, deberá utilizarse la tecla de Control para pasar de un grupo de celdas a otro.

IMPORTANTE

El cuadro **Administrador de nombres**, novedad de Excel 2010, muestra los nombres de los rangos de celdas creados. Además, en este cuadro podemos ver los valores de las celdas que componen los rangos, las celdas a las que se refieren y el ámbito al que pertenecen. Igualmente, desde este cuadro podemos crear nuevos rangos y editar o eliminar los ya existentes.

Administrador
de nombres

1. En este ejercicio, crearemos dos rangos utilizando procedimientos distintos. El primero estará compuesto por las celdas situadas entre A1 y D6 del libro Puntos. Haga clic en la celda **A1**, pulse la tecla **Mayúsculas** y, sin liberarla, seleccione la celda **D6**. 🔲

2. Para dar nombre a un rango de celdas podemos utilizar la opción **Asignar nombre a un rango** de su menú contextual o bien la herramienta del mismo nombre de la ficha **Fórmulas**. Active esa ficha pulsando sobre la pestaña **Fórmulas**.

3. Las herramientas relacionadas con los rangos de celdas se encuentran en el grupo **Nombres definidos**. Haga clic sobre el comando **Asignar nombre a un rango**. 🔲

4. En el cuadro **Nombre nuevo** 🔲 indicaremos el nombre del rango, el ámbito al que pertenece y las celdas a las que hace referencia. Además, en este cuadro podemos incluir un breve

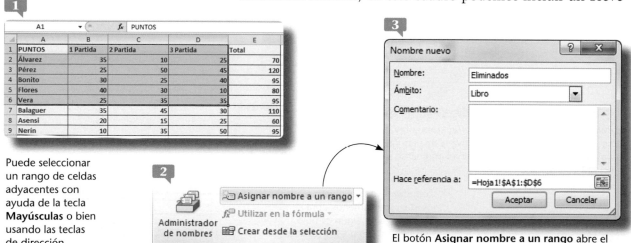

	A1	▼	f_x	PUNTOS	
	A	B	C	D	E
1	PUNTOS	1 Partida	2 Partida	3 Partida	Total
2	Álvarez	35	10	25	70
3	Pérez	25	50	45	120
4	Bonito	30	25	40	95
5	Flores	40	30	10	80
6	Vera	25	35	35	95
7	Balaguer	35	45	30	110
8	Asensi	20	15	25	60
9	Nerín	10	35	50	95

Puede seleccionar un rango de celdas adyacentes con ayuda de la tecla **Mayúsculas** o bien usando las teclas de dirección.

Asignar nombre a un rango

Administrador de nombres

Utilizar en la fórmula

Crear desde la selección

Nombres definidos

Nombre nuevo

Nombre: Eliminados

Ámbito: Libro

Comentario:

Hace referencia a: =Hoja1!$A$1:$D$6

Aceptar   Cancelar

El botón **Asignar nombre a un rango** abre el cuadro **Nombre nuevo**, donde se definirán las propiedades del rango.

069

comentario que nos ayude, por ejemplo, a identificarlo mejor. En el campo **Nombre**, escriba el término **eliminados**, mantenga el resto de datos tal y como se muestran por defecto y pulse **Aceptar**.

5. En el cuadro de nombres aparece el nombre **eliminados** 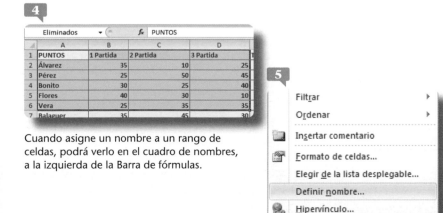 ya que dicho rango todavía permanece seleccionado. Haga clic en una celda que no pertenezca a él para deseleccionarlo.

6. Ahora crearemos un nuevo rango de celdas utilizando su menú contextual. Seleccione, por ejemplo, la celda **A25**, pulse sobre ella con el botón derecho del ratón y del menú contextual que se despliega, elija la opción **Definir nombre**. **5**

7. De nuevo aparece el cuadro Nombre nuevo, mostrando en el campo **Nombre** el contenido de la única celda seleccionada. En primer lugar, vamos a definir las celdas a las que hará referencia el rango. Haga clic en el icono situado a la derecha del campo **Hace referencia a**. **6**

8. El cuadro de diálogo se reduce para que podamos seleccionar directamente en la hoja las celdas adecuadas. **7** Pulse la tecla **Mayúsculas** y, sin soltarla, haga clic en la celda **B26**.

9. Para maximizar el cuadro de diálogo, haga clic nuevamente en el icono situado a la derecha de la combinación de celdas.

10. Ahora haga clic en el campo **Nombre**, escriba, por ejemplo, **ganadores** y pulse el botón **Aceptar** para aplicar el nombre al rango seleccionado.

11. Para comprobar que ha aplicado el nombre correctamente, pulse la tecla **Mayúsculas** y, sin soltarla, haga clic en la celda **B26**.

Minimice el cuadro **Nombre nuevo** para poder seleccionar directamente en la hoja de cálculo el rango de celdas al que va a asignar el nombre.

4

	A	B	C	D
1	PUNTOS	1 Partida	2 Partida	3 Partida
2	Álvarez	35	10	25
3	Pérez	25	50	45
4	Bonito	30	25	40
5	Flores	40	30	10
6	Vera	25	35	35
7	Balaguer	35	45	30

Eliminados · *fx* PUNTOS

Cuando asigne un nombre a un rango de celdas, podrá verlo en el cuadro de nombres, a la izquierda de la Barra de fórmulas.

5

	Fil*t*rar ▶
	O*r*denar ▶
📝	In*s*ertar comentario
🎨	*F*ormato de celdas...
	Elegir *d*e la lista desplegable...
	Definir *n*ombre...
🔗	*H*ipervínculo...

También puede acceder al cuadro **Nombre nuevo** usando la opción **Asignar nombre a rango** del menú contextual de las celdas.

Usar rangos

Aprender Excel 2010 con 100 ejercicios prácticos

LA CREACIÓN DE RANGOS y, aún más, la asignación de nombres a los mismos, son operaciones de gran utilidad en la creación de fórmulas. El nombre del rango pasa a ser un operando más que incluye el contenido de todas sus celdas. Por ejemplo, la fórmula A1+A2+A3+B1+B2+B3 puede ser sustituida por =SUMA(A1:B3), que dará exactamente el mismo resultado. Si asignamos un nombre al rango, supongamos uno, la fórmula anterior puede quedar reducida a =SUMA(uno).

IMPORTANTE

En tablas muy extensas, puede ser interesante asignar nombres a rangos compuestos por una sola celda. Si el nombre asignado identifica con exactitud el contenido de la celda, evitaremos tener que localizarla cada vez que debamos usar ese dato en una fórmula.

1. Su hoja de ejemplo presenta dos rangos a los cuales se ha asignado nombres en el ejercicio anterior. Pulse en la flecha adjunta al **cuadro de nombres** para desplegar la lista de rangos y seleccione el llamado **eliminados**.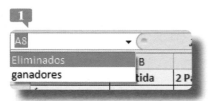

2. Estableceremos a continuación unas fórmulas del modo habitual y las mismas fórmulas utilizando nuevos rangos. Seleccione una celda vacía, introduzca, siempre con el signo = delante y sin dejar espacios la fórmula **=E5+E6+E7+F5+F6+F7** y pulse **Retorno.**

3. Ahora crearemos un nuevo rango que incluya las celdas que participan en la fórmula. Haga clic en la herramienta **Asignar nombre a un rango**.

Cuando dé nombre a un rango de celdas, éste aparecerá en una lista en el **cuadro de nombre**.

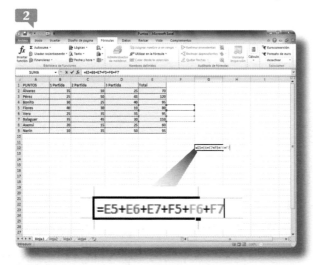

Puede introducir fórmulas complejas utilizando los nombres asignados a rangos de celdas para simplificar el proceso.

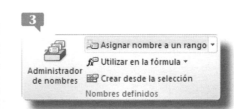

070

4. Se abre el cuadro **Nombre nuevo**, donde introduciremos el nombre del rango que vamos a crear e indicaremos las celdas a las que hará referencia. En el campo **Nombre** escriba la palabra **uno**.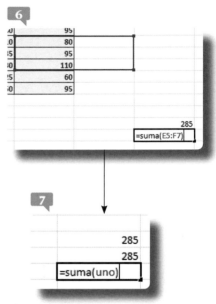

5. Pulse en el icono que aparece junto al campo **Hace referencia a** para minimizar el cuadro de diálogo si es necesario.

6. Seleccione la celda **E5**, pulse la tecla **Mayúsculas** y, sin soltarla, haga clic en la celda **F7**.

7. Maximice el cuadro Nombre nuevo pulsando en el icono situado junto a la referencia de las celdas y pulse el botón **Aceptar** para aplicar el nombre al rango seleccionado.

8. Seleccione otra celda libre, introduzca la misma fórmula que la anterior pero del siguiente modo **=SUMA(E5:F7)** y pulse la tecla **Retorno**.

9. Como puede ver, el resultado es el mismo. Finalmente, en otra celda introduciremos la misma fórmula, utilizando en este caso el nombre del rango: uno. Escriba la fórmula **=SUMA(uno)** y pulse **Retorno**.

10. Observe que el resultado vuelve a ser el mismo. Evidentemente, la creación de rangos de celdas puede facilitar enormemente la introducción de fórmulas complejas en las que intervienen varias celdas, contiguas o no. Guarde los cambios pulsando sobre el icono **Guardar** de la Barra de herramientas de acceso rápido.

Éstas son distintas formas de escribir una misma fórmula mediante el uso de rangos.

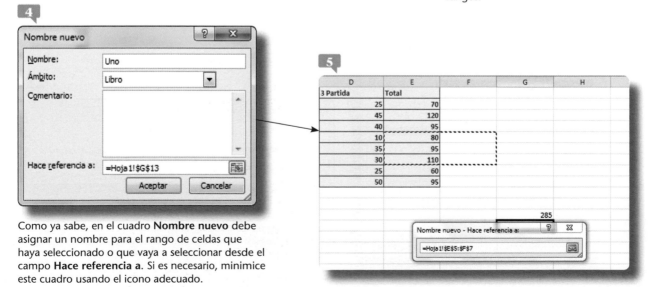

Como ya sabe, en el cuadro **Nombre nuevo** debe asignar un nombre para el rango de celdas que haya seleccionado o que vaya a seleccionar desde el campo **Hace referencia a**. Si es necesario, minimice este cuadro usando el icono adecuado.

Calcular con funciones

IMPORTANTE

Es posible incluir una función como argumento de otra. En ese caso, hablamos de funciones anidadas.

LAS FUNCIONES SON FÓRMULAS PREDEFINIDAS que ejecutan operaciones complejas con una sintaxis establecida. Excel dispone de un gran número de funciones automáticas divididas por categorías, como las matemáticas, lógicas, de texto o de fecha y hora. Toda función consta del nombre, por ejemplo SUMA, y unos argumentos entre paréntesis y separados por punto y coma. Estos paréntesis son imprescindibles incluso en aquellas funciones que no requieren ningún argumento.

1. Sobre el archivo **Puntos** aplicaremos la función SUMA utilizando el cuadro de fórmulas y las ayudas siguientes. Seleccione una celda vacía y pulse sobre la herramienta **Insertar función**, en el grupo de herramientas **Biblioteca de funciones** de la ficha **Fórmulas**. 🔲

2. Se abre el cuadro de diálogo **Insertar función** en el que podrá seleccionar la función que más le convenga en cada caso. Elija en esta ocasión la función **SUMA** y pulse el botón **Aceptar**. 🔲

3. Excel propone en el cuadro **Argumentos de función** las celdas que deben sumarse. Pulse la tecla **Suprimir** para eliminar el contenido del cuadro de argumentos **Número1** y, si es necesario, minimice el cuadro pulsando el icono de la flechita roja situado en el extremo derecho del primer cuadro de argumentos. 🔲

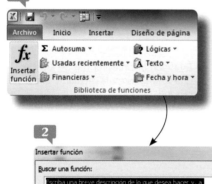

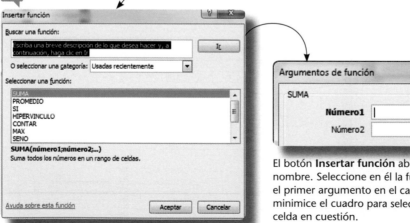

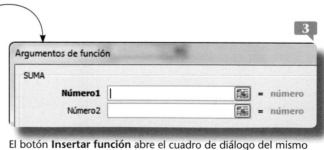

El botón **Insertar función** abre el cuadro de diálogo del mismo nombre. Seleccione en él la función **Suma**, por ejemplo e inserte el primer argumento en el campo **Número 1**. Si es necesario, minimice el cuadro para seleccionar directamente en su hoja la celda en cuestión.

4. Seleccione una celda con contenido de su hoja por ejemplo **E4** y maximice el cuadro **Argumentos de función**.

5. La referencia de esta celda se ha introducido en el primer recuadro de argumentos. En el segundo campo de argumentos introduciremos un rango. Haga clic en ese campo y escriba el nombre del rango **uno**, creado en el ejercicio anterior. [4]

6. Al insertar el segundo número, se muestran junto al nombre del rango, los valores que contienen las celdas que lo componen. Pulse el botón **Aceptar**.

7. Por el mismo procedimiento, crearemos una fórmula que multiplique los contenidos de dos celdas. Seleccione una celda vacía y abra el cuadro de funciones pulsando esta vez sobre el icono **Insertar función**, a la izquierda de la **Barra de fórmulas**. [5]

8. En el cuadro **Insertar función**, pulse sobre la flecha situada a la derecha del cuadro correspondiente a **O seleccionar una categoría** y elija la opción **Matemáticas y trigonométricas**. [6]

9. En el campo **Seleccionar una función** elija **Producto** [7] y haga clic en **Aceptar**.

10. Igual que hemos hecho en la función SUMA, elija una celda para el campo **Número1** y otra para el **Número2**.

11. Pulse sobre el botón **Aceptar** y observe que el contenido de la celda es el resultado de la multiplicación de las dos celdas.

También puede insertar funciones usando las que se encuentran agrupadas por categorías en el grupo **Biblioteca de funciones**.

Seleccione una categoría en el cuadro Insertar función y vea las funciones que se incluyen en ella en la lista inferior.

También puede acceder al cuadro **Insertar función** usando el icono que aparece a la izquierda de la **Barra de fórmulas**.

Calcular con funciones matemáticas

IMPORTANTE

Dentro de la categoría de funciones matemáticas, se incluye una curiosa función denominada **Aleatorio**. Se trata de la única función que no devuelve el resultado de un cálculo, sino un número al azar cada vez que se recalcula la tabla o que se pulsa la tecla **F9**.

```
ABS
ACOS
ACOSH
AGREGAR
ALEATORIO
ALEATORIO.ENTRE
ASENO
```

LAS FUNCIONES DE TIPO MATEMÁTICO son las más usadas en la construcción de fórmulas. La mayoría de las tablas usadas en el trabajo habitual en la oficina se construyen utilizando básicamente las funciones Suma y Producto. Cada una de las funciones va acompañada de una explicación aclaratoria de su misión y de una sintaxis establecida paso a paso en el cuadro de ayuda.

1. Veremos en el presente ejercicio ejemplos de uso de algunas funciones matemáticas. Seleccione una celda libre y pulse sobre el botón **Insertar función** de la ficha **Fórmulas**.

2. Pulse el botón de punta de flecha del campo **O seleccionar una categoría** y elija la opción **Matemáticas y trigonométricas**.

3. Localice y seleccione la función **Potencia** 🔲 y pulse **Aceptar**.

4. Se abre el cuadro de ayuda que nos facilitará la introducción de funciones. Primero debemos introducir el número que se debe elevar al cuadrado. Reduzca el cuadro de argumentos de función pulsando en el botón situado a la derecha del campo **Número**, seleccione un celda y maximice el cuadro.

5. Veremos el resultado de elevar un número al cuadrado. Haga clic en el campo **Potencia**, escriba el número **2** y pulse **Aceptar**. 🔲

6. El proceso ha terminado y la fórmula está establecida. Para la fórmula siguiente, debemos encontrar una función que redondee una cifra a un cierto número de decimales. Seleccione una celda libre y pulse sobre la herramienta **Insertar función** del grupo **Biblioteca de funciones**.

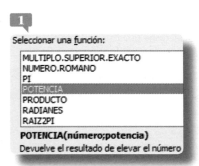

1

Seleccionar una función:

```
MULTIPLO.SUPERIOR.EXACTO
NUMERO.ROMANO
PI
POTENCIA
PRODUCTO
RADIANES
RAIZ2PI
```

POTENCIA(número;potencia)
Devuelve el resultado de elevar el número

Acceda al cuadro Insertar fórmula y seleccione en la lista de categorías **Matemáticas y trigonométricas**.

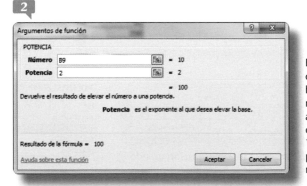

2

Argumentos de función

POTENCIA
Número B9 = 10
Potencia 2 = 2
  = 100

Devuelve el resultado de elevar el número a una potencia.

Potencia es el exponente al que desea elevar la base.

Resultado de la fórmula = 100

Ayuda sobre esta función   Aceptar   Cancelar

En la parte derecha del campo **Número**, donde hemos introducido el nombre de la celda, aparecerá el contenido de esa celda. En este caso 10. Un poco más abajo podemos observar el resultado de la operación.

072

7. Use la Barra de desplazamiento vertical para localizar la función **Redondear**, selecciónela y pulse el botón **Aceptar**.

8. Seleccione una celda libre de su hoja, por ejemplo B12, para introducirla como primer argumento de la función, pulse en el segundo cuadro de argumento, **Números decimales**, introduzca, por ejemplo, el número **2** y pulse **Aceptar**.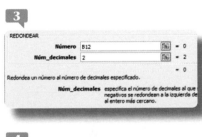

9. Veamos el funcionamiento de la fórmula. Seleccione la celda que ha establecido como primer argumento (B12) inserte una cifra con tres decimales y pulse la tecla **Retorno**.

10. En la última fórmula calcularemos el área de un círculo. La fórmula para hacerlo es: $A=\pi r^2$ (Pi por el radio al cuadrado). Utilizaremos por tanto dos funciones anidadas. Seleccione una celda libre y pulse sobre el botón **Insertar función** de la Barra de fórmulas, localice y seleccione la función **Producto** y pulse el botón **Aceptar**.

11. Imagine que queremos calcular el área de un círculo cuyo radio equivale a 25. Elimine el contenido del campo **Número1** pulsando la tecla **Suprimir** e introduzca el nombre de la celda **B6**, que contiene el valor 25.

12. Escriba un acento circunflejo seguido del número **2**, haga clic en el argumento **Número2**, introduzca la palabra **PI** seguida de dos paréntesis, uno de apertura y otro de cierre y pulse **Aceptar**.

13. Cuando trabaje por su cuenta y en función del tipo de cálculos que tenga que llevar a cabo podrá comprobar la potencia de las funciones que ofrece Excel 2010. Pulse sobre el botón **Guardar** de la **Barra de herramientas de acceso rápido**.

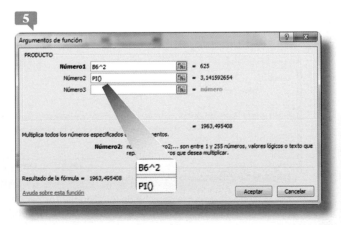

La función **Redondear** ha redondeado una cifra de cuatro decimales a sólo dos.

El número de argumentos que aparecen en el cuadro **Argumentos de función** depende de la función elegida. Puede introducirlos manualmente o seleccionar las celdas implicadas.

Utilizar funciones de texto

LAS FUNCIONES DE TEXTO cumplen diferentes misiones. Algunas se limitan a devolver datos referenciados como el código de un carácter (Código) o su inversa (Carácter), que devuelve el carácter correspondiente a un número o código comprendido entre el 1 y el 255. Otras funciones de tipo texto resultan muy útiles para realizar búsquedas o contar caracteres (Encontrar, Hallar, Largo y Reemplazar). Finalmente, tenemos las funciones que manipulan un texto según su misión, como Concatenar (une dos cadenas de texto), Mayusc, Minusc y Espacios.

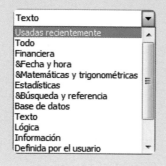

1. Cualquier programa informático trabaja con un mapa de 255 caracteres, cada uno de los cuales corresponde a un número. Con las funciones de texto de Excel, podemos descubrir a qué carácter corresponde cada número y viceversa. Para empezar, seleccione una celda vacía pulse sobre el icono **Insertar función** de la Barra de fórmulas, active la categoría de funciones de **Texto**, seleccione la función **Código** y pulse **Aceptar**.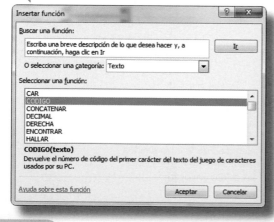

2. En el cuadro **Argumentos de función**, que si desea puede minimizar mediante el icono de contracción, seleccione la celda **A1**, con contenido de texto, y pulse el botón **Aceptar**.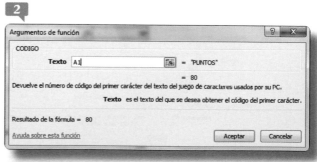

3. La función devuelve el código correspondiente a la primera letra del texto, en este caso **80**. A continuación, practicaremos con la función **Mayúsculas**. Seleccione una celda vacía y pulse el icono **Insertar función** de la Barra de fórmulas.

Todas las funciones se encuentran en el cuadro **Insertar Función**, donde se encuentra organizadas por categorías.

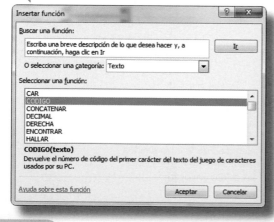

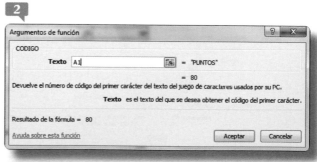

Use el icono situado a la derecha de los argumentos para minimizar y maximizar el cuadro **Argumentos de función**.

073

4. Seleccione la función de texto **Mayúsculas** y pulse el botón **Aceptar**.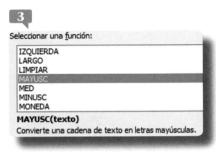

5. Seleccione para el campo **Texto** la celda **C1**, con contenido textual, y pulse **Aceptar**.

6. La celda que incluye la función presenta los mismos caracteres que la seleccionada pero en mayúsculas. Trabajaremos ahora con la función **Reemplazar**. Seleccione una celda vacía e inserte, por ejemplo, el nombre **Juan**.

7. A continuación, seleccione otra celda vacía, introduzca la fórmula de texto **Reemplazar** y pulse el botón **Aceptar**.

8. En cuadro **Texto original** debemos introducir la referencia de la celda donde figura la cadena de texto que deseamos reemplazar. Minimice el cuadro si lo necesita, seleccione la celda donde ha escrito **Juan** y maximice el cuadro.

9. Ahora debemos establecer la posición a partir de la que se reemplazarán los caracteres originales por los nuevos. En este ejemplo, los caracteres originales se sustituirán por los viejos a partir del tercer carácter del texto original. Haga clic en el segundo argumento, **Número inicial**, e inserte el número **3**.

10. En el siguiente cuadro de argumento, debemos indicar el número de caracteres originales que se desean reemplazar. Sitúe el cursor en el tercer argumento, **Número de caracteres**, y establezca en **2** los caracteres a reemplazar.

11. Sólo falta completar el último argumento, donde debemos indicar los nuevos caracteres con los que deseamos sustituir los originales. Haga clic en el cuarto y último argumento, **Texto nuevo**, y escriba la cadena de texto **lio**.

12. Pulse el botón **Aceptar**.

La función de texto **Mayúsculas** convierte en mayúsculas una cadena de texto.

La función de texto **Reemplazar** se compone de cuatro argumentos.

Utilizar funciones lógicas

LAS FUNCIONES LÓGICAS SON SIETE. Falso devuelve el valor lógico; Falso y Verdadero, el valor lógico verdadero. La función Si ejecuta una acción si se cumple una condición; la función SiError devuelve valor si la expresión es un error y el valor de la expresión no lo es. La función No invierte la lógica de un argumento, la función O devuelve Verdadero si algún argumento lo es y, por último, la función Y devuelve Verdadero si todos los argumentos lo son.

1. Estableceremos una fórmula que nos devuelva el valor Verdadero o Falso de una afirmación. En una hoja en blanco, escriba en las celdas **A1 y A2** los valores 3 y 4 respectivamente 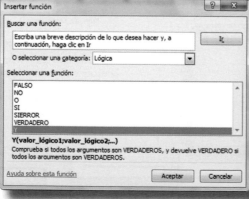, seleccione la celda **B7** y pulse el icono **Insertar función** de la **Barra de fórmulas**.

2. Puesto que deseamos que los dos argumentos de la afirmación se cumplan al mismo tiempo, utilizaremos la función Y. En el cuadro **O seleccionar una función**, elija la categoría **Lógicas**, seleccione la mencionada función y pulse en **Aceptar**.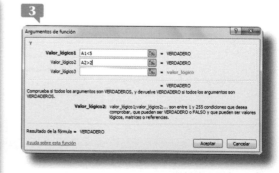

3. Minimice el cuadro de ayuda pulsando en el botón situado a la derecha del campo **Valor_lógico1**, seleccione la celda **A1** y escriba la cadena **<5**.

4. La primera condición que debe cumplirse es que el valor de la celda A1 sea menor que cinco. Maximice el cuadro de ayuda y pulse en el campo **Valor_lógico2**.

5. Minimice el cuadro de diálogo, seleccione la celda **A2**, introduzca la cadena **>2**, maximice el cuadro y pulse **Aceptar**.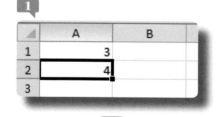

Tras seleccionar una celda vacía, acceda al cuadro **Insertar función** y seleccione en él la categoría y la función que necesite.

160

074

6. Como ve, la celda en la que hemos introducido la función presenta el valor **Verdadero**. Pero, veamos qué ocurre si alguno de los valores lógicos establecidos en la función no se cumplen. Seleccione la celda **A1**, escriba el número **6** y pulse **Retorno**.

7. El contenido de la celda B7 presenta ahora el valor **Falso**.  Ahora utilizaremos la función Si. Seleccione la celda **B8** y pulse sobre el botón **Insertar función** de la barra de fórmulas.

8. Seleccione la función lógica **Si** y pulse **Aceptar**.

9. Nuevamente las celdas referenciadas serán A1 y A2. Lo único que nos interesa de estas celdas es si el contenido de la primera es mayor que el de la segunda. Estableceremos en el cuadro de argumento esta condición en formato matemático. Inserte la expresión **A1>A2** en el campo **Prueba_lógica**.

10. A continuación, introduciremos el valor que la función debe devolver en caso de que la condición se cumpla. Pulse en el campo **Valor_si_verdadero** y escriba la palabra **correcto**.

11. El siguiente paso consiste en definir el valor que deberá devolver la función en caso de que la condición no se cumpla. Sitúe el cursor en el campo **Valor_si_falso**, inserte la palabra **incorrecto** y pulse **Aceptar**. 5️⃣

12. La condición es verdadera por lo que el valor expresado en la celda B8 es **correcto**. Hagamos una prueba. Seleccione la celda **A1**, introduzca el número **2** y pulse **Retorno**.

13. Ahora, el valor de la celda A1 es menor que el de la celda A2, de modo que la condición no se cumple. Consecuentemente, la celda **B8** ahora muestra el valor **incorrecto**. 6️⃣

Si no se cumplen las dos condiciones establecidas en la función Y, Excel devuelve el mensaje **Falso**.

En este ejemplo, si se cumple la condición establecida en el campo **Prueba lógica**, es decir, si el valor de la celda A1 es mayor que el de la celda A2, Excel lanzará el mensaje **correcto**, en caso contrario, se mostrará el mensaje **incorrecto**.

Usar referencias

IMPORTANTE

Si tenemos una fórmula que contiene referencias relativas y la copiamos y pegamos en otra celda, la fórmula de la nueva celda será idéntica a la de origen pero las referencias habrán cambiado. Excel entiende automáticamente que tiene que referenciar las celdas correspondientes a su fila o columna.

PARA CREAR TABLAS REALMENTE ÚTILES que realicen cálculos por sí solas, éstas deben contener fórmulas que vinculen unas celdas con otras. Las referencias pueden ser relativas (A1), absolutas ($A$1) o mixtas ($A1 o A$1).

1. En la tabla de datos **Puntos** inserte una columna después de la E con su mismo formato siguiendo los pasos que se mostraron en el ejercicio 19; después seleccione la celda **F1**, escriba el texto **1ª Parte** y pulse **Retorno**.

2. Los datos de esta nueva columna serán el resultado de sumar las dos primeras partidas. Así, en el caso del primer jugador, la fórmula sumará los valores del rango **B2-C2**. Haga clic en la herramienta **Autosuma**, en el grupo Biblioteca de funciones, seleccione la celda **B2**, pulse la tecla **Mayúsculas** y, sin soltarla, haga clic sobre la celda **C2** para crear el rango. Después, pulse el botón **Introducir** de la Barra de fórmulas.

3. Nos encontramos en la celda **F2** y podemos ver la fórmula que tiene asignada. El resto de las celdas de la columna 1ªParte deberá rellenarse con fórmulas idénticas a ésta, pero con los números de fila correspondientes a cada una. Pulse la combinación de teclas **Ctrl.+C** para copiar en el portapapeles el contenido de esta celda, seleccione la celda inmediatamente inferior a la actual y pulse la combinación de teclas **Ctrl.+V**.

	A	B	C	D	E	F
1	PUNTOS	1 Partida	2 Partida	3 Partida	Total	1ª Parte
2	Álvarez	35	10	25	70	
3	Pérez	25	50	45	120	
4	Bonito	30	25	40	95	
5	Flores	40	30	10	80	
6	Vera	25	35	35	95	
7	Balaguer	35	45	30	110	
8	Asensi	20	15	25	60	
9	Nerín	10	35	50	95	

F	G
1ª Parte	
=SUMA(B2:C2)	
SUMA(**número1**; [número2]; ...)	

SI ▼ × ✓ f_x =SUMA(B2:C2)

	A	B	C	D	E	F	G
1	PUNTOS	1 Partida	2 Partida	3 Partida	Total	1ª Parte	
2	Álvarez	35	10	25	70	=SUMA(B2:C2)	
3	Pérez	25	50	45	120	SUMA(número1; [número2]; ...)	
4	Bonito	30	25	40	95		

Introduzca la fórmula =**SUMA** seguida del rango de celdas **B2**-**C2** que, como recordará, puede crear con ayuda de la tecla Mayúsculas.

4. Excel entiende que, al ser referencia relativa copiada una fila más abajo, todas las referencias a filas deben aumentar un número. Seleccione la celda **F4** y pulse de nuevo **Ctrl.+V.**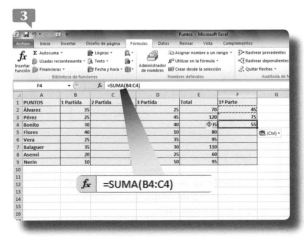

5. Queremos que la puntuación de cada jugador se exprese en % sobre el total de puntos de todos los jugadores. Para ello, necesitaremos calcular dicho valor y nombrar una nueva columna en la que se calculen tales porcentajes. Seleccione la celda **G1**, escriba la expresión **% Total** y pulse **Retorno**.

6. A continuación, seleccione la celda **E10**, inserte el texto **Total general** y pulse la **tecla de dirección hacia la derecha**.

7. Ahora introduciremos la función necesaria para obtener el total general de la puntuación de todos los jugadores. En la celda activa inserte la función **=SUMA(E2:E9)** 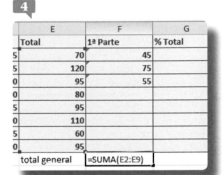 y pulse el botón **Introducir**.

8. Empezaremos introduciendo la multiplicación del total de puntos del primer jugador (celda E2) por 100. Haga clic en la celda **G2** y escriba **=E2*100**.

9. Finalizaremos la fórmula dividiendo el total de esta operación por el contenido de la celda **F10**, donde figura el total general de todos los jugadores. Escriba **/$M$1** (el signo del dólar indica que la referencia es absoluta) 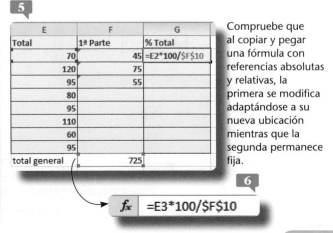 y pulse **Introducir**.

10. Dado que la primera referencia es relativa y la segunda absoluta, si copiamos esta fórmula y la pegamos en otra celda la primera referencia se adaptará a su nueva ubicación, mientras que la segunda permanecerá fija. Pulse la combinación de teclas **Ctrl.+ C** para copiar el contenido de esta celda, seleccione la celda **G3**, pulse la combinación de teclas **Ctrl.+V** y observe la fórmula que aparece en la Barra de fórmulas.

IMPORTANTE

Las referencias a celdas de otros libros se denominan **vínculos** o **referencias externas**.

4

	E	F	G
	Total	1ª Parte	% Total
5	70	45	
5	120	75	
0	95	55	
0	80		
5	95		
0	110		
5	60		
0	95		
	total general	=SUMA(E2:E9)	

Esta función sumará el contenido de las celdas comprendidas entre la E2 y la E9, ambas incluidas.

3

	A	B	C	D	E	F	G
1	PUNTOS	1 Partida	2 Partida	3 Partida	Total	1ª Parte	
2	Álvarez	35		25	70	45	
3	Pérez	25		45	120	75	
4	Bonito	30		40	95	55	
5	Flores	40		10	80		
6	Vera	25		35	95		
7	Balaguer	35		30	110		
8	Asensi	20		25	60		
9	Nerin	10		50	95		

F4 =SUMA(B4:C4)

fx =SUMA(B4:C4)

5

E	F	G
Total	1ª Parte	% Total
70	45	=E2*100/$F$10
120	75	
95	55	
80		
95		
110		
60		
95		
total general	725	

Compruebe que al copiar y pegar una fórmula con referencias absolutas y relativas, la primera se modifica adaptándose a su nueva ubicación mientras que la segunda permanece fija.

6

fx =E3*100/$F$10

Trabajar con la precedencia

IMPORTANTE

En la Ayuda de Excel podrá encontrar una lista de todos los operadores que incluye descripción y ejemplos de cada uno. También puede encontrar un cuadro de **Prioridad de operadores** en el apartado **Información general sobre fórmulas.**

Prioridad de operadores	
OPERADOR	DESCRIPCIÓN
: (dos puntos) (un solo espacio) ; (punto y coma)	Operadores de referencia
–	Negación (como en –1)
%	Porcentaje
^	Exponenciación
* y /	Multiplicación y división
+ y –	Suma y resta
&	Conecta dos cadenas de texto (concatenación)
= < > <= >= <>	Comparación

EL TÉRMINO PRECEDENCIA INDICA el orden en que se ejecutan los cálculos en una fórmula si ésta contiene varios operadores. Excel calculará primero las operaciones que se encuentren entre paréntesis y las demás operaciones se ejecutarán en orden según la lista de Prioridad de operadores. Si una fórmula contiene operadores con el mismo orden de precedencia, se calcularán de izquierda a derecha. Recuerde: simplemente debe tener en cuenta el orden en que coloca los operadores y los operandos. Si no está seguro del orden, puede utilizar los paréntesis, incluso si éstos no son necesarios.

1. Continuamos trabajando en el libro **Puntos**. Seleccione una celda vacía, introduzca la fórmula **=5*4+6** y pulse la tecla **Retorno.** 1

2. En otra celda libre, introduzca la fórmula **=5*(4+6)** y pulse de nuevo la tecla **Retorno.** 2

3. La primera fórmula ha multiplicado 5x4 y al resultado le ha sumado 6. La segunda fórmula, en cambio, ha realizado primero la operación situada entre paréntesis y luego ha multiplicado el resultado por 5. De modo que la introducción de los paréntesis en la segunda fórmula ha sido decisiva. A continuación, introduciremos una fórmula que haga referencia a celdas con contenido. En una celda vacía escriba **=B2/C3^2** 3 y pulse **Retorno.**

1

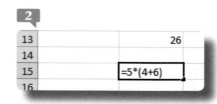

Los resultados de estas dos operaciones serán diferentes debido a que, como establece la precedencia, Excel ejecuta en primer lugar las operaciones insertadas entre paréntesis.

2

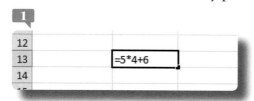

3

12	
13	26
14	
15	50
16	
	=B2/C2^2
18	

La precedencia también afecta a referencias de celdas. En este caso, según los criterios de precedencia de Excel, se calculará primero el exponente para después dividirlo por el contenido del primer operador.

4. La fórmula introducida divide el contenido de una celda por el contenido de otra elevado al cuadrado. Siguiendo el estricto orden jerárquico de los operadores, el exponencial se ha calculado antes que la división. Si lo que deseamos obtener es el exponencial del resultado de la división, deberemos utilizar los paréntesis. Seleccione la última celda modificada y, en la Barra de fórmulas cambie la fórmula por **=(B2/C2)^2** 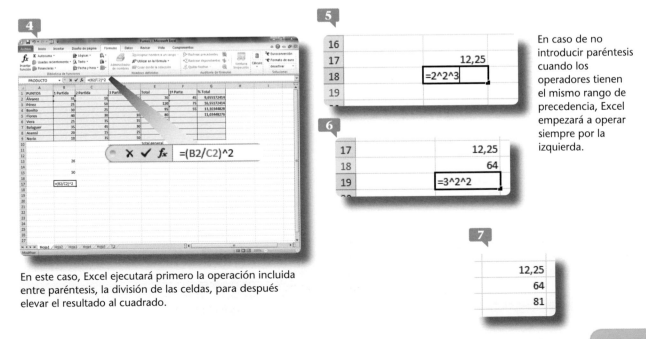 y pulse **Retorno**.

5. Evidentemente, el resultado es distinto. Veamos finalmente lo que ocurre cuando los operadores tienen el mismo rango de precedencia. Introduzca la fórmula **=2^2^3** en otra celda vacía y pulse la tecla **Retorno**.

6. La operación situada más a la izquierda se ha efectuado primero, ya que 2 elevado al cuadrado es 4 que, elevado al cubo, da como resultado 64. Para comprobar el proceso de cálculo de la operación, escribiremos la misma fórmula anterior alterando el orden. Introduzca la fórmula **=3^2^2** en otra celda y pulse la tecla **Retorno**.

7. El resultado es 81 ya que 3 elevado al cuadrado es igual a 9 que elevado al cuadrado nos da 81. Termine el ejercicio pulsando sobre el icono **Guardar** de la Barra de herramientas de acceso rápido.

En caso de no introducir paréntesis cuando los operadores tienen el mismo rango de precedencia, Excel empezará a operar siempre por la izquierda.

En este caso, Excel ejecutará primero la operación incluida entre paréntesis, la división de las celdas, para después elevar el resultado al cuadrado.

Celdas precedentes y celdas dependientes

LAS CELDAS PRECEDENTES SON AQUÉLLAS a las que se refieren las fórmulas de otras celdas. Las celdas dependientes son las que contienen fórmulas que se refieren a otras celdas. Suponga que la celda A1 contiene la fórmula =C8; en este caso, la celda C8 sería la celda precedente, mientras que la celda A1 sería la celda dependiente.

1. En este ejercicio conoceremos la utilidad de algunas de los comandos incluidos en el grupo **Auditoría de fórmulas**, en la ficha **Fórmulas** de la Cinta de opciones. Los comandos de ese grupo nos permiten mostrar en la hoja la vinculación entre celdas con fórmulas. Seleccione una celda de su hoja que contenga una fórmula con referencias a otras celdas.

2. Pulse sobre el comando **Rastrear precedentes** del grupo **Auditoría de fórmulas**. 🔲

3. Automáticamente Excel traza flechas azules que parten de la celda seleccionada y van hasta las celdas de las que ésta depende. 🔲 Compruebe en la **Barra de fórmulas** cuáles son esas celdas. También es posible llevar a cabo la operación inversa, es decir, mostrar gráficamente las fórmulas a las que nutre una celda con datos, es decir, mostrar las celdas dependientes.

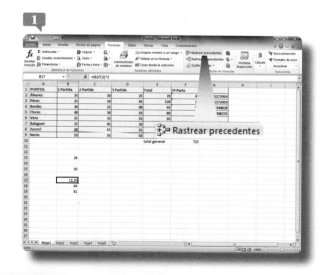

Las flechas muestran las relaciones entre celdas precedentes y dependientes.

077

Haga clic en una de las celdas a la que haga referencia la fórmula de otra celda.

4. Pulse ahora el comando **Rastrear dependientes** del grupo **Auditoría de fórmulas**.

5. En este caso las flechas azules indican las celdas en las que participa la seleccionada. Podríamos comprobarlo pulsando directamente sobre cada una de estas celdas y leyendo la fórmula en la **Barra de fórmulas**, pero, en esta ocasión, utilizaremos otro de los comandos de auditoría de fórmulas. Haga clic sobre el comando **Mostrar fórmulas**, situado a la derecha del comando **Rastrear precedentes**.

6. Este comando permite mostrar en la hoja las fórmulas de las celdas en lugar de su resultado. Para desactivar el comando **Mostrar fórmulas**, pulse la combinación de teclas **Alt+ º** (tecla situada a la izquierda del 1 en el teclado alfanumérico).

7. Para acabar, veremos cómo se pueden eliminar las flechas de celdas dependientes y precedentes. Despliegue el comando **Quitar flechas** del grupo **Auditoría de fórmulas**.

8. Este comando incluye las opciones que permiten borrar las flechas por niveles cuando exista más de uno. Haga clic en la opción **Quitar flechas** para borrarlas todas de la hoja.

9. El resto de comandos incluidos en el grupo **Auditoría de fórmulas** nos permiten localizar errores comunes en fórmulas y depurarlas evaluando cada una de sus partes. Para acabar este ejercicio, guarde los cambios pulsando el comando **Guardar** de la **Barra de herramientas de acceso rápido**.

Puede quitar todas las flechas que indican dependencia o precedencia a la vez o bien por niveles.

El comando **Rastrear dependientes** muestra flechas que indican las celdas afectadas por el valor de la celda seleccionada.

	A	B	C	D	E	F	G
1	PUNTOS	1 Partida	2 Partida	3 Partida	Total	1ª Parte	% Total
2	Álvarez	35	10	25	=SUMA(B2:D2)	=SUMA(B2:C2)	=E2*100/$F$10
3	Pérez	25	50	45	=SUMA(B3:D3)	=SUMA(B3:C3)	=E3*100/$F$10
4	Bonito	30	25	40	=SUMA(B4:D4)	=SUMA(B4:C4)	=E4*100/$F$10
5	Flores	40	30	10	=SUMA(B5:D5)		=E5*100/$F$10
6	Vera	25	35	35	=SUMA(B6:D6)		
7	Balaguer	35	45	30	=SUMA(B7:D7)		
8	Asensi	20	15	25	=SUMA(B8:D8)		
9	Nerín	10	35	50	=SUMA(B9:D9)		
10					total general	=SUMA(E2:E9)	

El comando **Mostrar fórmulas** sustituye en la hoja de cálculo los valores resultantes por las fórmulas originales.

Calcular con referencias circulares

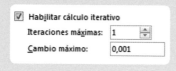
UTILIZAMOS EL TÉRMINO REFERENCIA CIRCULAR para referirnos al hecho de que una fórmula utilice la celda que la contiene como uno de sus parámetros, ya sea de forma directa o indirecta. Normalmente, una referencia circular produce un error en Excel; sin embargo, es posible desactivar este error y utilizar esta particularidad como un elemento avanzado de cálculo.

1. Para empezar, seleccione la celda **D15** e inserte el valor **5**.

2. Seleccione la celda **D17**, introduzca la fórmula **=D15+D17** y confirme la entrada pulsando sobre el botón **Introducir** de la **Barra de fórmulas**. 🗨

3. Un mensaje de advertencia le indica que está utilizando una referencia circular, es decir, una fórmula que toma su resultado como parte del cálculo. Pulse el botón **Aceptar**. 🗨

4. Aparece el término **Referencia circular** seguido del nombre de la celda que la contiene en la Barra de estado, a la vez que se abre la ventana de **Ayuda de Excel** mostrando información acerca de las referencias circulares. Cierre dicha ventana pulsando el botón **Cerrar** de su Barra de título.

5. Para poder utilizar las referencias circulares, deberá activar la opción apropiada. Haga clic en la pestaña **Archivo**, pulse sobre el comando **Opciones** y seleccione la categoría **Fórmulas**.

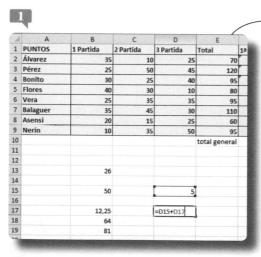

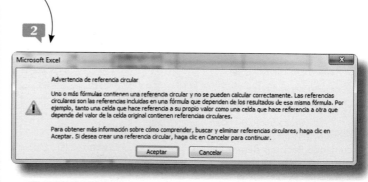

Al introducir en una celda una fórmula en la que uno de los elementos es esa misma celda, Excel lanza un cuadro de advertencia que nos informa de que estamos ante una referencia circular.

078

6. Marque la casilla **Habilitar cálculo iterativo** para desactivar los errores de cálculo circular.

7. Haga doble clic en el campo **Iteraciones máximas**, inserte el número **1** y confirme las modificaciones con el en el botón **Aceptar**.

8. Al permitir las iteraciones e indicar que sólo se desea realizar una iteración por celda se actualiza el resultado de la fórmula contenida en D17 con el valor 5. Seleccione la celda **D15**, introduzca el valor **6** y pulse la tecla **Retorno** para confirmar la entrada.

9. Observe cómo ha afectado la última acción a la celda **D15**. El valor 11 es el resultado de añadir el nuevo contenido de la celda D15 al que ya contenía la celda D17. Hasta aquí todo está funcionando perfectamente. Sin embargo, podemos obtener resultados imprevistos si modificamos el contenido de cualquier celda que no intervenga en el cálculo. Vamos a comprobarlo. Seleccione la celda **E14**, introduzca el número **1** y pulse **Retorno**.

10. Aunque no se haya modificado la celda D15, ésta se ha vuelto a sumar a la celda D17. Esto ha ocurrido porque al modificar una celda se recalculan todas las fórmulas de la hoja de cálculo. Para aprender a solucionar este problema, deberá consultar la práctica del ejercicio siguiente. Por el momento, guarde los cambios pulsando el botón **Guardar** de la **Barra de herramientas de acceso rápido**.

IMPORTANTE

Mientras se encuentre habilitado el cálculo iterativo, cada vez que se modifiquen los valores de una hoja de cálculo, Excel recalculará todas las fórmulas.

Como puede observar en las imágenes cada vez que se realiza cualquier cambio en la hoja se recalculan todas las fórmulas, de forma que el contenido de la celda D17 cuya fórmula es =D15+D17 se modifica. Si ahora hiciésemos otro cambio, el resultado de la celda D17 sería 23 (el resultado de 17+6).

La opción **Habilitar campo iterativo** de la categoría **Fórmulas** de las opciones de Excel permite la ejecución de referencias circulares.

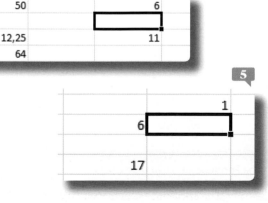

Controlar el cálculo automático de las hojas

POR DEFECTO, EXCEL RECALCULA toda la hoja de cálculo cuando se introducen cambios en sus celdas. Este sistema resulta muy útil, ya que evita al usuario tener que forzar el recálculo de la hoja. Sin embargo, en ocasiones, como cuando utilizamos las referencias circulares o cuando el equipo es muy lento, desearíamos que el programa esperara a realizar el cálculo hasta acabar de modificar la hoja. En este ejercicio comprobará que esto se puede lograr sin demasiadas complicaciones.

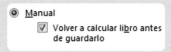

1. En la hoja utilizada en el ejercicio anterior se producían resultados incorrectos que se debían a la forma en que Excel realiza los cálculos automáticos. En este ejercicio vamos a solucionar este problema. Pulse sobre la pestaña **Archivo** y haga clic en el comando **Opciones**.

2. Sitúese en la ficha **Fórmulas** del cuadro de opciones, marque la opción **Manual** y confirme el cambio pulsando en el botón **Aceptar**.

3. A continuación, vamos comprobar que ahora no se producen los cálculos automáticos al modificar una celda. Seleccione la celda **E14**, teclee el número **4** y pulse **Retorno**.

IMPORTANTE

La opción **Volver a calcular libro antes de guardarlo** de la ficha **Fórmulas** hace que, aunque esté activada la opción de actualización manual, se vuelvan a calcular los datos antes de guardar el libro.

En la ficha **Fórmulas** del cuadro de **Opciones de Excel** active la opción **Manual** para que la actualización de datos en la hoja de cálculo no sea automática, sino manual.

	A	B	C	D	E	F	G
1	PUNTOS	1 Partida	2 Partida	3 Partida	Total	1ª Parte	% Total
2	Álvarez	35	10	25	70	45	9,655172414
3	Pérez	25	50	45	120	75	16,55172414
4	Bonito	30	25	40	95	55	13,10344828
5	Flores	40	30	10	80		11,03448276
6	Vera	25	35	35	95		
7	Balaguer	35	45	30	110		
8	Asensi	20	15	25	60		
9	Nerín	10	35	50	95		
10					total general	725	
11							
12							
13		26					
14					4		
15		50		6			
16							
17		12,25		17			
18		64					

Compruebe ahora que al modificar los datos en las celdas, las fórmulas no se actualizan automáticamente.

079

4. Compruebe que el contenido de la celda **D17**, en la que se encuentra la fórmula circular, no se ha recalculado. Seleccione la celda **D15**, introduzca el valor **-15** y pulse **Retorno** para confirmar el cambio.

5. No se produce ningún cambio en la celda D17 porque está activado el cálculo manual. Seleccione esa celda y, para forzar el cálculo, pulse la tecla de función **F9**.

6. Probémoslo de nuevo: seleccione la celda **D15**, introduzca el valor **5** y pulse la tecla **Retorno**.

7. Como ya ocurrió en la práctica anterior, nada parece ocurrir con la celda D17. Ahora, confirme que desea recalcular la hoja pulsando la tecla de función **F9**.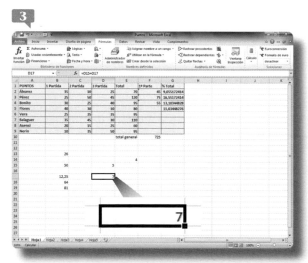

8. Como puede ver, no es necesario seleccionar la celda en la que se encuentra la fórmula para que se realice el cálculo. Si desea recalcular nuevamente la fórmula sin cambiar el contenido de la celda **D15**, basta con que utilice otra vez la tecla **F9**. Púlsela para recalcular la fórmula de nuevo, sin necesidad de variar el contenido de la celda **D15**.

9. Para acabar el ejercicio active de nuevo la actualización automática en el cuadro de opciones de Excel  y pulse el botón **Guardar** para almacenar los cambios realizados.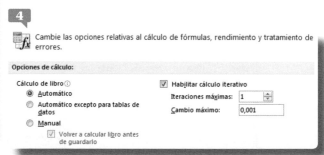

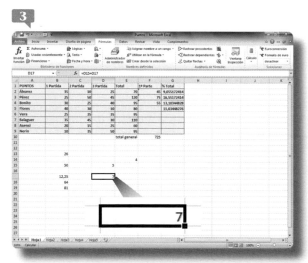

Si se encuentra activa la opción **Manual** de actualización de datos, deberá ejecutar la acción pulsando la tecla de función **F9**. No es necesario que se encuentren seleccionadas las celdas con fórmulas para que éstas se actualicen al pulsar dicha tecla.

Por defecto, Excel realiza el cálculo del libro de manera automática, aunque también dispone de una opción para actualizar automáticamente todos los datos excepto los de tablas.

Inspeccionar fórmulas

IMPORTANTE

Use el botón **Eliminar inspección** para borrar las fórmulas que desee desde la ventana Inspección.

⟲ Eliminar inspección

EL COMANDO VENTANA INSPECCIÓN es otra de las herramientas que forman parte de la Auditoría de fórmulas. El objetivo de esta herramienta es la visualización de la fórmula o fórmulas de una misma hoja de cálculo de modo completo. A través de esta ventana, el usuario recibe información acerca del libro, la hoja y la celda en la que se encuentran las distintas fórmulas e incluso puede ver cuál es su sintaxis y su resultado.

1. Seleccione la celda **E3** de su hoja de cálculo, que contiene una fórmula.

2. Empezaremos abriendo la denominada **Ventana Inspección** con el fin de visualizar la información correspondiente a la celda seleccionada en este momento. Pulse sobre el comando **Ventana Inspección** incluido en el grupo **Auditoría de fórmulas** de la ficha **Fórmulas**. **1**

3. Para que esta ventana muestre información sobre la fórmula que contiene la celda seleccionada, debemos indicárselo. Pulse sobre el botón **Agregar inspección**. **2**

4. Aparece una nueva ventana indicando la referencia de la celda que nos interesa. Pulse el botón **Agregar** del cuadro **Agregar inspección**. **3**

El botón **Ventana Inspección** del grupo **Auditoría de fórmulas** abre la **Ventana Inspección**. Pulse el botón **Agregar inspección** para acceder al cuadro del mismo nombre y seleccionar la celda que incluye la fórmula que desea agregar.

080

5. Automáticamente, la ventana de inspección muestra toda la información referida a la celda seleccionada. A continuación, realizaremos la inspección de todas las fórmulas de la hoja activa. Sitúese en la ficha **Inicio**, despliegue el comando **Buscar y seleccionar** del grupo **Modificar** y seleccione la opción **Ir a**.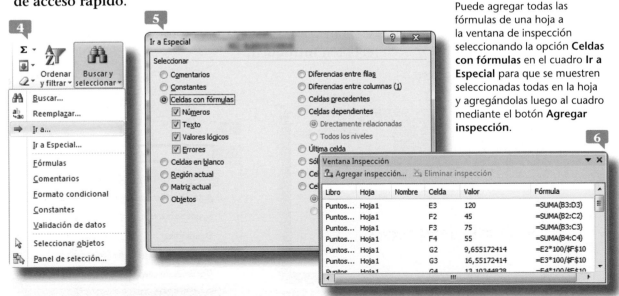

6. En el cuadro de diálogo **Ir a**, pulse el botón **Especial**.

7. A continuación, en el cuadro **Ir a Especial**, active la opción **Celdas con fórmulas** y pulse sobre el botón **Aceptar**.

8. Excel selecciona todas las celdas que contienen fórmulas en la hoja activa. Ahora sólo falta agregarlas a la ventana de inspección. Pulse sobre el botón **Agregar inspección**.

9. El cuadro **Agregar inspección** muestra las referencias de todas las celdas seleccionadas. Pulse el botón **Agregar** para que todas las fórmulas se añadan a la ventana de inspección.

10. Como puede ver, la ventana de inspección muestra todas las fórmulas contenidas en las celdas seleccionadas . De este modo, siempre que se quieran revisar las fórmulas de una hoja de cálculo que presente un número elevado de ellas, podrá realizar su trabajo de forma cómoda, sin necesidad de buscarlas manualmente. Cierre la ventana de inspección pulsando sobre el botón **Cerrar** de su **Barra de título**.

11. Por último, seleccione cualquier celda para eliminar la selección y pulse el botón **Guardar** de la **Barra de herramientas de acceso rápido**.

Puede agregar todas las fórmulas de una hoja a la ventana de inspección seleccionando la opción **Celdas con fórmulas** en el cuadro **Ir a Especial** para que se muestren seleccionadas todas en la hoja y agregándolas luego al cuadro mediante el botón **Agregar inspección**.

Comprobar errores

EL OBJETIVO DEL COMANDO DENOMINADO Comprobación de errores es localizar e identificar los errores que a menudo se cometen al introducir fórmulas. También alerta al usuario sobre posibles errores cometidos según el criterio de la aplicación, aunque, en muchos de estos casos, el criterio válido es el del usuario y, por tanto, no hay necesidad de atender a las recomendaciones del programa.

1. En una tabla **Puntos**, introduzca la fórmula =SUMA(B2:C2) en la celda **I3** 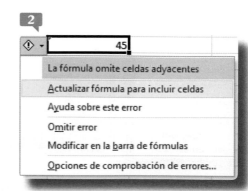 y pulse el botón **Introducir**.

2. La celda con la fórmula que acaba de insertar muestra un triángulo verde en su esquina superior izquierda, indicando así la existencia de un posible error. Pulse sobre la etiqueta inteligente **Comprobación de errores**.

3. Se abre un menú de opciones referentes al error detectado en la fórmula. La primera opción indica el error detectado por Excel. En este caso, el programa considera que esta fórmula omite celdas adyacentes. Imagine que está de acuerdo con la sugerencia del programa y decide modificar la fórmula. Pulse sobre la opción **Actualizar fórmula para incluir celdas**.

4. Como ve, la fórmula se ha modificado al igual que su resultado, al incluirse las celdas que considera correctas. A continuación, inserte en la celda **I3** la fórmula =SUMA(B3:C3) y pulse el botón **Introducir**.

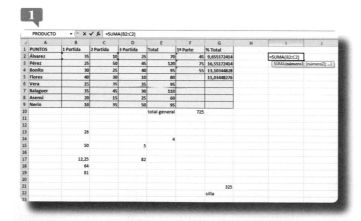

081

5. Pulse sobre la etiqueta **Comprobación de errores** y seleccione esta vez la opción **Ayuda sobre este error**.

6. Se abre la ventana **Ayuda de Excel** mostrando información acerca de cómo solucionar el error de la celda. Cierre esta ventana pulsando el botón de aspa de su **Barra de título**.

7. Suponga ahora que decide modificar el contenido de la fórmula manualmente, es decir, aplicando usted mismo las variaciones. Abra de nuevo el menú de opciones de la etiqueta inteligente y seleccione la opción **Modificar en la barra de fórmulas**.

8. La celda se pone en modo de edición para que pueda realizar los cambios oportunos. Pulse el botón **Introducir** de la **Barra de fórmulas** para dejar la fórmula tal y como está.

9. Si ejecuta la opción **Omitir error**, la etiqueta de comprobación de errores desaparece y el programa da por buena la fórmula de la celda seleccionada. Pulse sobre la etiqueta inteligente y seleccione la mencionada opción.

10. Por último, ejecutaremos la comprobación de errores usando el comando adecuado. Haga clic en el comando **Comprobación de errores**, situado a la derecha del comando **Rastrear dependientes** de la ficha **Fórmulas**.

11. Se abre el cuadro **Comprobación de errores** mostrando las mismas opciones que la etiqueta inteligente. Para comprobar si existen más celdas con errores pulse el botón **Siguiente** y cuando ya no encuentre más, pulse **Aceptar**.

Utilice el icono **Comprobación de errores** de la ficha Fórmulas para realizar manualmente la comprobación de errores en la hoja.

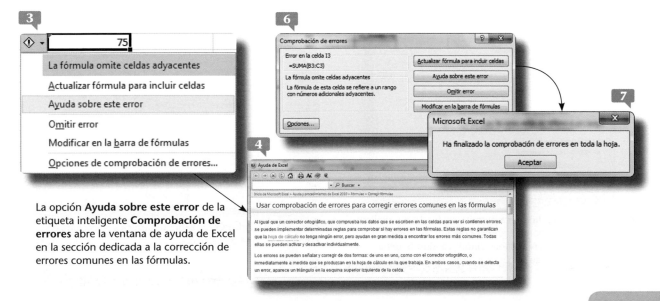

La opción **Ayuda sobre este error** de la etiqueta inteligente **Comprobación de errores** abre la ventana de ayuda de Excel en la sección dedicada a la corrección de errores comunes en las fórmulas.

Crear tablas dinámicas

LOS INFORMES DE TABLAS DINÁMICAS permiten analizar en profundidad series de datos y están diseñados para consultar de diferentes maneras grandes bases de datos, calcular el subtotal, agregar de datos numéricos, resumir datos por categorías y subcategorías, filtrar y ordenar conjuntos de datos y presentar informes electrónicos o impresos profesionales y visualmente atractivos.

1. En este ejercicio utilizaremos la tabla Puntos. Para empezar seleccione y elimine todas las celdas que no pertenezcan a la tabla y haga que tenga la misma apariencia que la imagen. 🖘

2. Ahora active la ficha **Insertar** de la Cinta de opciones y despliegue el comando **Tabla dinámica**.

3. Usando este comando puede crear una tabla dinámica o un gráfico dinámico. Elija la opción **Tabla dinámica**. 🖘

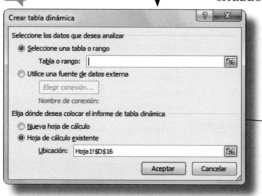

4. Se abre el cuadro **Crear tabla dinámica** 🖘, donde debe seleccionar los datos que vamos a analizar y establecer el lugar donde se ubicará el informe de la tabla dinámica. Para indicar el rango que desea analizar, pulse el icono que aparece a la derecha del campo **Tabla o rango** y selecciónelo desde la celda **A2** hasta la **E9** con ayuda de la tecla **Mayúsculas**. 🖘

5. Maximice el cuadro **Crear tabla dinámica** pulsando el icono situado a la derecha del campo que muestra la selección.

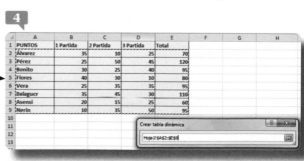

El comando **Tabla dinámica** permite crear tablas y gráficos dinámicos. Si selecciona la primera opción, aparecerá el cuadro de diálogo **Crear tabla dinámica**, donde debe establecer el rango de celdas que desea representar.

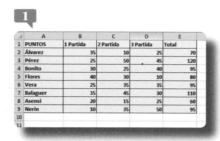

Minimice el cuadro **Crear tabla dinámica** y seleccione el rango en su hoja de cálculo.

6. Colocaremos el informe de tabla dinámica en una hoja en blanco del libro. Active la opción **Hoja de cálculo existente**.

7. Pulse el icono que aparece a la derecha del campo **Ubicación** para poder seleccionar la ubicación directamente en el libro.

8. Haga clic sobre la etiqueta de una hoja que se encuentre vacía, pulse sobre la celda **A1**, maximice el cuadro **Crear tabla dinámica** y pulse el botón **Aceptar**. 5

9. Se añade un informe de tabla dinámica en blanco en la ubicación indicada y aparece a la derecha del área de trabajo el panel **Lista de campos de tabla dinámica**, donde seleccionaremos los campos que va a mostrar el informe. Pulse sobre la casilla de verificación del primer participante para agregar los participantes al informe. 6

10. De forma predeterminada, los campos no numéricos se agregan al área **Etiquetas de fila** pero puede cambiar el área de los campos arrastrándolos hasta la que desee o bien utilizando las opciones de su menú contextual. Active dos casillas más. 7

11. Como ve, los campos numéricos se agregan al área **Valores**. Una vez establecidos los campos que participarán en la tabla dinámica, cierre el panel **Lista de campos de tabla dinámica** pulsando el comando **Lista de campo** del grupo de herramientas **Mostrar u ocultar** de la ficha **Opciones**. 8

Desde el botón de punta de flecha que hay al lado de cada campo se pueden aplicar filtros para que se muestre sólo la información que nos interesa.

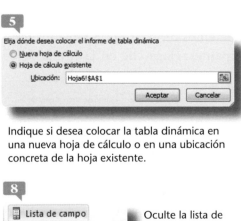

Indique si desea colocar la tabla dinámica en una nueva hoja de cálculo o en una ubicación concreta de la hoja existente.

Vaya marcando en la lista de campos de tabla dinámica los campos que desea reflejar en la tabla. Observe cómo en función de que sean textuales o numéricos se añadirán al área **Rótulos de fila o Valores**.

Oculte la lista de campos usando el comando adecuado del grupo **Mostrar u ocultar**.

Editar tablas dinámicas

LA TABLA DINÁMICA QUEDA VINCULADA a la tabla de la que provienen los datos y la actualización de éstos puede ser manual o automática, según se configure. Además, Excel permite aplicar rápidamente un estilo predefinido también a una tabla o a un gráfico dinámicos.

1. Al crear la tabla dinámica y al encontrarse ésta seleccionada, se muestra la ficha contextual **Herramientas de tabla dinámica**, que incluye las subfichas **Opciones** y **Diseño**. Las herramientas incluidas en esta ficha permiten modificar el aspecto de la tabla dinámica. Veamos cuál es el nombre que Excel asigna por defecto a una tabla dinámica. Haga clic en el botón **Tabla dinámica** de la subficha **Opciones**.

2. Como ve, desde aquí puede editar el nombre de la tabla, que es **Tabla dinámica1** y acceder a sus diferentes opciones.  Cierre el grupo de herramientas **Tabla dinámica** pulsando de nuevo en el botón del mismo nombre.

3. Ahora haga clic en el botón de punta de flecha del campo **Etiquetas de fila**, en la tabla dinámica. **2**

4. Este botón nos permite ordenar los campos y aplicar filtros. Imaginemos que sólo queremos mostrar en la tabla los resultados de algunos participantes. Haga clic en la casilla de ve-

Puede cambiar el nombre de la tabla en el campo **Nombre de tabla dinámica** del grupo de herramientas **Tabla dinámica**. También desde aquí puede acceder al cuadro de opciones de la tabla.

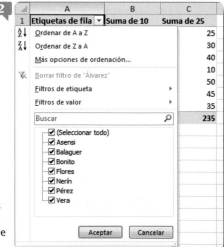

Pulse el botón de flecha del campo **Rótulos de fila** para ver las opciones que incluye.

rificación del campo **Seleccionar todo** y después marque las casillas de los que desee mostrar y pulse **Aceptar**.

5. El pequeño icono que aparece a la derecha del campo Rótulos de fila indica que hemos aplicado un filtro. Seguidamente aplicaremos a la tabla un nuevo estilo, más llamativo. Haga clic en la pestaña **Diseño** de la Cinta de opciones.

6. Pulse el botón **Más**, la tercera flecha del grupo **Estilos de tabla dinámica**, para ver otros estilos disponibles.

7. De la galería de estilos rápidos de tablas dinámicas , elija, por ejemplo, el tercer estilo del grupo **Medio** y observe el resultado.

8. Además de cambiar el estilo de la tabla, puede modificar los títulos de los campos de valor, ordenar los datos, etc. Para acabar, accederemos al cuadro de opciones de la tabla para ver qué otras opciones de configuración ofrece Excel. Sitúese en la subficha **Opciones**.

9. Pulse nuevamente en el botón del grupo **Tabla dinámica** y haga clic en el comando **Opciones**.

10. Aparece el cuadro **Opciones de tabla dinámica** , a través de cuyas fichas puede definir su diseño y su formato, mostrar u ocultar totales y otros elementos, añadir filtros, determinar el modo en que se imprimirá la tabla y establecer opciones relativas a los datos que contiene. Pulse en la pestaña **Impresión**.

11. Active la opción **Imprimir títulos** y pulse el botón **Aceptar**.

12. Y por último, pulse en cualquier celda libre para deseleccionar la tabla y guarde los cambios usando el comando **Guardar** de la **Barra de herramientas de acceso rápido**.

Utilice el filtro de los rótulos de fila para ocultar y mostrar datos en su tabla.

El icono indica que este campo tiene un filtro aplicado

Aplique a su tabla dinámica uno de los estilos que encontrará en la galería de estilos rápidos.

Especifique cómo se imprimirá la tabla, oculte los botones para expandir, muestre los totales de las filas, etc., desde el cuadro **Opciones de tabla dinámica**.

Crear gráficos dinámicos

UN GRÁFICO DINÁMICO ES UNA REPRESENTACIÓN GRÁFICA de los datos de un informe de tabla dinámica, aunque también se pueden crear a partir de datos de una hoja de cálculo. En estos casos, se crea automáticamente un informe de tabla dinámica asociada. Un gráfico dinámico es interactivo, de modo que los datos se pueden ordenar y filtrar para mostrar subconjuntos de datos.

1. En este ejercicio crearemos un gráfico dinámico a partir de la tabla dinámica que hemos creado anteriormente. Seleccione la tabla dinámica y active la subficha **Opciones** de la ficha contextual **Herramientas de tabla dinámica**.

2. Pulse sobre el comando **Herramientas** y seleccione la opción **Gráfico dinámico**.

3. Se abre el cuadro de diálogo **Insertar gráfico** donde puede elegir el tipo de grafico que insertará. Seleccione el primero de la segunda fila del tipo **Columna** y pulse el botón **Aceptar**.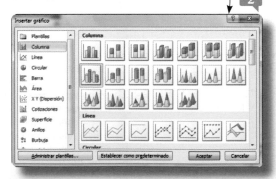

4. El nuevo gráfico se inserta en el centro de la hoja. Puede observar que el gráfico mantiene el filtro que habíamos creado en el ejercicio anterior y sólo muestra los resultados de tres de los jugadores durante dos semanas. En la lista de campos de tabla dinámica seleccione otro de los campos numéricos.

En el comando **Herramientas** de la ficha contextual **Herramientas de tabla** dinámica se encuentra la opción **Gráfico dinámico**, que permite crear gráficos dinámicos

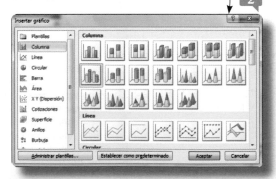

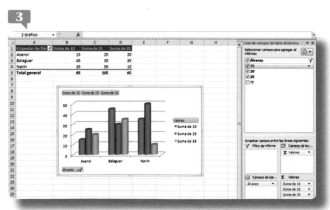

El gráfico dinámico se crea a partir de los datos de la tabla dinámica y, si ésta tiene algún filtro, también se aplicará en el gráfico.

5. El campo numérico se añade tanto a la tabla como al gráfico dinámico. Ahora veremos cómo se crea un gráfico a partir de los datos de una hoja de cálculo. Vuelva a situarse en la hoja donde se encuentra la tabla **Puntos**.

6. Active la ficha **Insertar** y en el comando **Tabla dinámica** seleccione la opción **Gráfico dinámico**.

7. Se abre el cuadro de diálogo **Crear tabla dinámica con el gráfico dinámico**, donde tiene que seleccionar el rango de celdas que quiera incluir en el gráfico. El procedimiento es idéntico al que hemos seguido para crear la tabla dinámica. En el campo **Tabla o rango** seleccione las celdas **A2:E9** con ayuda de la tecla **Mayúsculas**.

8. En el campo **Ubicación** active la opción **Hoja de cálculo existente**, minimice el cuadro con el icono de contracción y, en una hoja en blanco, seleccione la celda **A1**. 5

9. Maximice el cuadro con el mismo icono y pulse el botón **Aceptar**.

10. En el punto indicado, se inserta una tabla y un gráfico dinámico en blanco, al tiempo que se activa la ista de campos de tabla dinámica. Seleccione todos los campos y observe cómo se añaden al gráfico dinámico. 6

11. Para acabar guarde los cambios mediante el comando **Guardar** de la **Barra de herramientas de acceso rápido**.

5

En el cuadro de diálogo **Crear tabla dinámica** tiene que seleccionar el rango de celdas a partir de los que se creará el gráfico y la posición donde se ubicará.

4

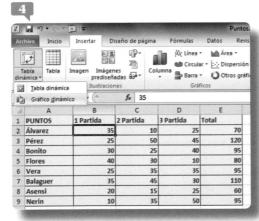

La opción **Gráfico dinámico** del comando **tabla dinámica** de la ficha **Insertar** permite crear gráficos dinámicos a partir de datos de una hoja de cálculo.

6

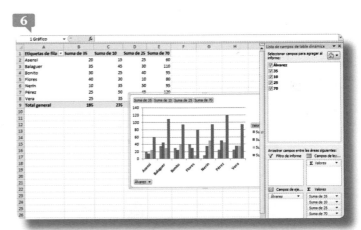

Los gráficos dinámicos se pueden modificar una vez creados. Se les puede aplicar filtros que nos ayuden a analizar la información que necesitamos.

Crear segmentaciones de datos

PARA FILTRAR LOS DATOS EN MICROSOFT EXCEL 2010, se puede usar la segmentación de datos. La segmentación de datos proporciona botones en los que se puede hacer clic para filtrar los datos de las tablas dinámicas. Además del filtrado rápido, la segmentación de datos también indica el estado actual de filtrado, lo cual facilita el entendimiento de lo que se muestra exactamente en un informe de tabla dinámica filtrado.

1. Para empezar crearemos una segmentación de datos en la tabla dinámica que ya tenemos creada. Haga clic sobre la tabla dinámica para que se active la ficha contextual **Herramientas de tabla dinámica**.

2. En el grupo de herramientas **Ordenar y filtrar** de la subficha **Opciones**, haga clic en **Insertar Segmentación de datos**.

3. Se abre así el cuadro de diálogo **Insertar segmentación de datos**. En este cuadro debe activar los campos de la tabla para los que desee crear una segmentación. En este caso seleccione el primero y pulse el botón **Aceptar**.

4. Se crea así una segmentación de datos que se sitúa junto a la tabla dinámica. Haga clic sobre la segmentación de datos y, sin soltar el botón del ratón, arrástrela hasta que pueda ver todos los elementos del área de trabajo.

El comando **Insertar segmentación de datos** de la ficha contextual **Herramientas de tabla dinámica** permite crear segmentaciones de datos que agilizarán la aplicación de filtros.

Cada campo creará una segmentación de datos independiente. Se pueden crear tantas segmentaciones como campos de datos tengamos.

5. Una vez creada la segmentación, aplicar filtros es de lo más sencillo. Imagine que le interesa ver los resultados de un solo jugador. En la segmentación de datos, haga clic sobre el primer jugador para seleccionarlo.

6. Observe el resultado. El resto de jugadores se han deseleccionado automáticamente y tanto en la tabla dinámica como en el gráfico dinámico se visualizan los datos del jugador que hemos seleccionado. También observe que el icono de filtro se ha activado. Haga clic sobre este icono para deshacer la selección y eliminar así el filtro.

7. Vuelven a aparecer todos los campos y el icono de filtro se desactiva. Estos filtros que se aplican con sólo seleccionar los elementos que queremos visualizar permiten seleccionar uno o varios elementos. Probemos ahora a mostrar los resultados de tres de los jugadores. Haga clic sobre el primer jugador.

8. Pulse la tecla **Ctrl**, haga clic sobre el tercer jugador y, a continuación, sobre el último.

9. Antes de acabar, desactivaremos el filtro. Esta vez haga clic sobre el primer campo de la segmentación de datos y, con la tecla **Mayúsculas** pulsada, haga clic en el último campo para así seleccionar todos los jugadores y eliminar el filtro.

10. Para eliminar la segmentación de datos haga clic sobre ella y pulse la tecla **Supr** en su teclado.

Con la ayuda de la tecla **Ctrl** puede seleccionar campos no consecutivos.

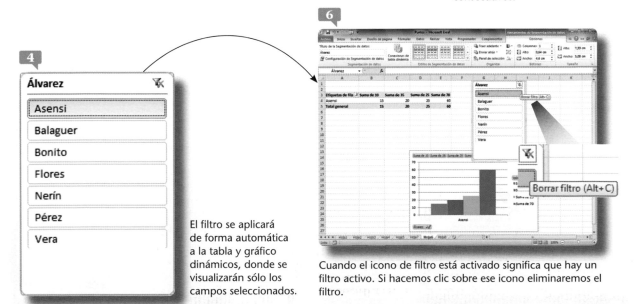

El filtro se aplicará de forma automática a la tabla y gráfico dinámicos, donde se visualizarán sólo los campos seleccionados.

Cuando el icono de filtro está activado significa que hay un filtro activo. Si hacemos clic sobre ese icono eliminaremos el filtro.

Crear y ejecutar una macro

LAS MACROS CONSTITUYEN UNA FORMA fácil de programar series de órdenes. Cuando se activa la función Grabar macro, todas las operaciones que se realizan desde ese momento hasta finalizar la grabación quedan registradas en la memoria del programa.

1. Las herramientas para la creación y la ejecución de una macro se encuentran en la ficha **Programador**, oculta por defecto. Para mostrarla, acceda al cuadro **Opciones de Excel** desde la pestaña **Archivo**, active la opción **Programador** en la categoría **Personalizar Cinta** y pulse el botón **Aceptar** 🗩

2. Active la pestaña **Programador** y pulse el comando **Grabar macro**. 🗩

3. En el cuadro **Grabar macro**, mantenga el nombre que Excel aplica por defecto a la nueva macro, **Macro1**, y en el campo de texto del apartado **Método abreviado** inserte la letra q.

4. Puede indicar el lugar donde se va a guardar la macro, que por defecto será este mismo libro, y añadir una breve descripción. Pulse el botón **Aceptar**. 🗩

5. A partir de este momento todas sus acciones quedarán grabadas en la macro por lo que resulta primordial no cometer

IMPORTANTE

En la **Barra de estado** también dispone del icono **Grabar macro**, con el que podrá acceder al cuadro del mismo nombre.

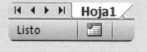

Por defecto, la ficha **Programador** se encuentra oculta en Excel. Muéstrela activando la opción adecuada de la ficha **Personalizar Cinta** del cuadro de opciones del programa.

El comando **Grabar macro** da paso al cuadro del mismo nombre, donde se definirán las propiedades de la macro que se va a crear. Al pulsar **Aceptar**, se iniciará la grabación.

errores. Observe que en la **Barra de estado** ha aparecido un botón con un cuadrado azul; se trata del botón **Detener grabación**. Pulse la tecla **Alt**. y, manteniéndola pulsada, escriba en una celda libre el valor **126** y pulse la tecla **Retorno**. (Con esta combinación obtenemos el símbolo ~).

6. Detenga la grabación de la macro mediante el botón que ha aparecido en la **Barra de estado** o el comando **Detener grabación** del grupo **Código**.

7. Proceda a ejecutar la macro por el método abreviado. Sitúese en una celda vacía y pulse la combinación de teclas **Ctrl.+Q**.

8. Ahora volveremos a reproducir la macro de otra manera. Haga clic en otra celda libre y pulse en el botón **Macros** del grupo **Código** para acceder al cuadro **Macro**.

9. Compruebe que en este cuadro se encuentra seleccionada la única macro que hemos creado hasta el momento, la **Macro1** y pulse el botón **Ejecutar**.

10. Para acabar este sencillo ejercicio eliminaremos la macro. Acceda nuevamente al cuadro **Macro** pulsando el botón **Macros**.

11. Como ve, desde este cuadro puede mostrar todos los pasos que componen la macro seleccionada, modificarla, eliminarla o mostrar su cuadro de opciones. Con la **Macro1** seleccionada, pulse el botón **Eliminar**.

12. Confirme que desea eliminar la macro pulsando el botón **Sí** del cuadro de diálogo que aparece.

La combinación Alt+126 devuelve en Excel el símbolo ~

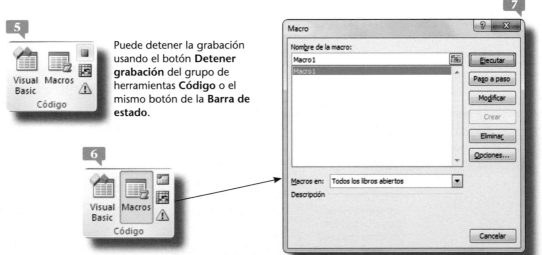

Puede detener la grabación usando el botón **Detener grabación** del grupo de herramientas **Código** o el mismo botón de la **Barra de estado**.

El botón **Macros** abre el cuadro de diálogo **Macro** desde el que puede gestionar el trabajo con estos elementos.

Obtener una vista preliminar

LAS DIMENSIONES DE LA PANTALLA no suelen coincidir con las de la hoja de papel donde se van a imprimir los documentos y suele ser difícil saber qué parte de la hoja de cálculo entra en una hoja de papel prevista o en qué filas y columnas se dividirá el documento al repartirse en diferentes hojas de papel. Como novedad en la versión 2010 de Excel la pestaña Archivo dispone del comando Imprimir, el cual permite obtener directamente una vista preliminar de la parte de la hoja que se va imprimir.

1. Excel 2010 ha simplificado la tarea de obtener una vista preliminar de los documentos. En este ejercicio, le mostraremos dos formas diferentes para previsualizar sus hojas de cálculo antes de imprimirlas. En primer lugar, abra el libro **Puntos. xlsx**.

2. Ya disponemos del libro que nos interesa abierto en Excel. A continuación, haga clic en la pestaña **Archivo**.

3. Recuerde que esta pestaña representa en sí misma una novedad en esta versión del programa. El comando **Información** muestra, en el panel de la derecha, una pequeña vista previa de la interfaz del programa con el libro abierto en primer plano, sobre la lista de propiedades del mismo. Esta vista previa se amplía gracias al comando **Imprimir** de este menú. Haga clic sobre dicho comando.

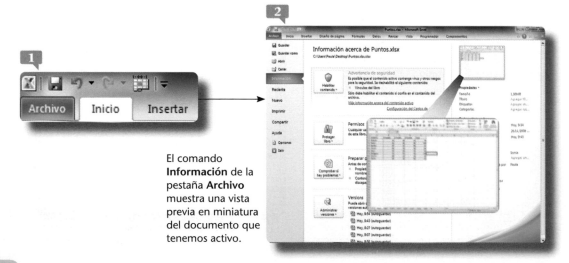

El comando **Información** de la pestaña **Archivo** muestra una vista previa en miniatura del documento que tenemos activo.

4. Efectivamente, el comando **Imprimir** muestra directamente en la parte derecha del panel una vista previa del área imprimible de la hoja activa.  Pulse en la pestaña **Inicio** de la Cinta de opciones para volver a la hoja de trabajo.

5. Al activar la vista preliminar, el programa marca sobre el área de trabajo, mediante una línea de puntos, el área imprimible de la hoja. A continuación, veremos otro modo de obtener la vista previa de la hoja. Active la pestaña **Diseño de página** de la Cinta de opciones.

6. El grupo de herramientas **Configurar página** dispone de todos los comandos que le permitirán ajustar la página para obtener la impresión buscada. Casi todos los comandos de este grupo de herramientas son los que se incluyen en el comando **Imprimir** de la pestaña **Archivo**. Haga clic sobre el iniciador de cuadro de diálogo del grupo de herramientas **Configurar página**.

7. Se abre de esta forma el cuadro de diálogo de configuración de la página para su impresión. 5 En este cuadro, pulse sobre el botón **Vista preliminar** y observe lo que ocurre.

8. Efectivamente, se vuelve a cargar el imprescindible comando **Imprimir** de la pestaña **Archivo**, mostrando en su parte derecha la vista preliminar del documento. En la lección siguiente, aprenderá a configurar todos los elementos de una hoja que influyen en el proceso de impresión. Para dar por terminado este sencillo ejercicio, haga clic sobre la pestaña **Inicio**.

El comando **Imprimir** de la pestaña **Archivo** muestra de forma automática una vista preliminar del documento.

El botón **Vista preliminar** del cuadro **Configurar página** nos conduce al comando **Imprimir** de la pestaña **Archivo**

Configurar la página para su impresión

DESDE LA NUEVA PESTAÑA ARCHIVO es posible configurar los distintos parámetros para su impresión, así como acceder al completo cuadro Configurar página. Además el grupo de herramientas de la ficha Diseño de página de la Cinta de opciones permite configurar una serie de parámetros relacionados con la orientación de la página, los márgenes, el tamaño del papel, las columnas, los saltos de página, los números de línea y los guiones. Desde esta ficha también podemos acceder al cuadro Configurar página.

1. Para empezar active la pestaña **Archivo** y haga clic en el comando **Imprimir**.

2. De esta forma accedemos a los principales comandos relacionados con la preimpresión y la impresión. Ahora cambiaremos la orientación de la página. Despliegue el campo que muestra el texto **Orientación vertical** y elija la opción **Orientación horizontal**. 1

3. El programa establece una serie de combinaciones de márgenes predefinidos que se pueden modificar. Pulse sobre el primero de los dos iconos situados en la parte inferior derecha del panel de vista previa para mostrar los márgenes. 2

4. Puede modificar los márgenes sobre la vista previa o asignando valores concretos. Despliegue el campo **Última configuración de márgenes** y pulse sobre el comando **Márgenes personalizados** para acceder al cuadro **Configurar página**. 3

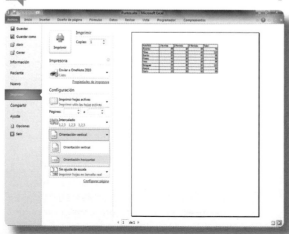

Puede visualizar los márgenes de la página, que habitualmente están ocultos, y modificarlos de forma personalizada.

088

5. El cuadro se abre mostrando directamente el contenido de la ficha **Márgenes**. Haga clic en la casilla de verificación **Horizontalmente** del apartado **Centrar en la página**.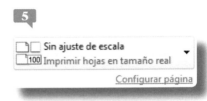

6. Puede ver el efecto conseguido en la pequeña vista previa del cuadro. Active también la opción **Verticalmente** y pulse en **Aceptar** para volver al menú con la vista previa.

7. Otra forma de acceder al cuadro de diálogo de configuración es mediante el vínculo **Configurar página**. Haga clic sobre el vínculo situado debajo del comando de escala.

8. En el cuadro **Configurar página** haga clic sobre la pestaña **Hoja**.

9. En esta ficha puede establecer un área de impresión determinada: seleccionar sólo un rango de celdas para imprimir. Haga clic en la casilla de verificación de la opción **Líneas de división**, en la sección **Imprimir**, y pulse el botón **Aceptar**.

10. El menú del comando **Imprimir** permite iniciar la impresión una vez la configuración de la página haya terminado. Vamos a suponer que disponemos de una impresora instalada en nuestro equipo. Haga clic dos veces en la punta de flecha superior del campo **Copias** para fijar en **3** el número de copias impresas del documento.

11. Para terminar este ejercicio, pulse el botón **Imprimir** para llevar a cabo la impresión de nuestro documento.

El vínculo **Configurar página** abre el cuadro de diálogo del mismo nombre donde podemos modificar la configuración de la página y ajustarla correctamente antes de la impresión.

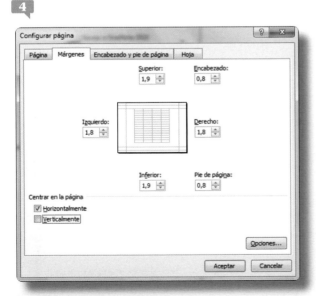

El contenido de la página puede centrarse tanto horizontal como verticalmente.

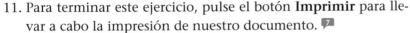

Trabajar en la vista Diseño de página

LA VISTA DISEÑO DE PÁGINA ES UNA VISTA SIMILAR a la Vista preliminar en la que el usuario puede ajustar la página y prepararla para su impresión.

1. En este sencillo ejercicio, conoceremos la utilidad de la vista Diseño de página, a la que podemos acceder mediante el icono de acceso a vistas apropiado de la **Barra de estado** o bien a través del comando correspondiente de la pestanya **Vista**. Active esta pestaña de la Cinta de opciones.

2. En el grupo de herramientas **Vistas de libro**, pulse sobre el comando **Diseño de página**.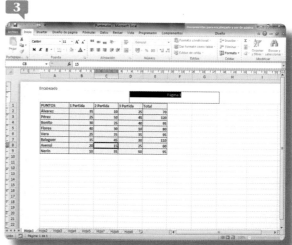

3. En la **Barra de estado** se ha activado el segundo icono de acceso a vistas, correspondiente a la vista seleccionada. Desde esta vista es posible configurar el encabezado y modificar los márgenes de la hoja con ayuda de las reglas horizontal y vertical. En primer lugar, vamos a cambiar el encabezado que hemos añadido en el ejercicio anterior. Haga clic sobre el término **Página 1**.

4. El encabezado se muestra ahora en modo de edición. Escriba el número **1** y, para confirmar la entrada, pulse en la celda **A2**.

Utilice los iconos del grupo de herramientas **Vistas de libro** de la pestaña **Vista** o bien los iconos de visualización de la **Barra de estado** para obtener diferentes tipos de vistas.

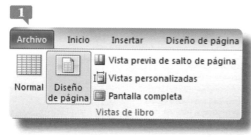

Cuando seleccionamos el encabezado para editarlo, se activa automáticamente la ficha contextual **Herramientas para encabezado y pie de página**.

5. Alrededor de las celdas aparecen espacios en blanco que indican los márgenes de la hoja. Estos espacios pueden ocultarse y volverse a mostrar con una simple pulsación en cualquiera de los bordes de la hoja. Compruébelo. **4**

6. Utilizando el arrastre en las reglas que se muestran en esta vista podemos modificar los márgenes de la página. Las reglas permiten alinear, ubicar y medir objetos en la hoja. Haga clic en el comando **Mostrar** de la pestaña **Vista** y desactive la regla. **5**

7. Ahora ajustaremos el contenido de la hoja al área de impresión para que se pueda imprimir en una sola página. Haga clic en la pestaña **Diseño de página** de la Cinta de opciones.

8. En este caso, queremos ajustar la hoja a una página de alto por una de ancho. Haga clic en el botón de punta de flecha del campo **Ancho**, en el grupo de herramientas **Ajustar al área de impresión**, y seleccione la opción **1 página**. **6**

9. Haga clic en el botón de punta de flecha del campo **Alto** y seleccione también la opción **1 página**.

10. La **Barra de estado** indica que el libro sólo consta de una página. Para acabar, haga clic en el primer icono del grupo de acceso a vistas de la **Barra de estado**, correspondiente a la vista **Normal**. **7**

Desde el grupo de herramientas **Mostrar u ocultar** puede mostrar diferentes elementos de la hoja, como la regla, la **Barra de fórmulas**, las líneas de cuadrícula, etc.

Haga clic en el espacio que aparece entre las cabeceras de las filas y las columnas y la hoja de cálculo para mostrar u ocultar el espacio que ocupa el margen.

Seleccione los ajustes de ancho y alto que desee en el grupo de herramientas **Ajustar área de impresión** de la ficha **Diseño de página**.

Crear una área de impresión

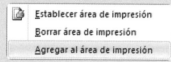
UNA ÁREA DE IMPRESIÓN ES UNO O MÁS RANGOS que se designan para imprimir cuando no se quiere imprimir toda la hoja de cálculo. Cuando se establece una área de impresión y se guarda el documento, el área también queda almacenada. Si realiza una selección, la imprime y no la guarda como área de impresión, ésta no será memorizada por el programa.

1. Lo primero que debemos hacer para crear una área de impresión es seleccionar el rango de celdas que la conformarán. Hágalo teniendo en cuenta que debe utilizar la combinación **Mayúsculas+clic** para crear el rango. ▼**1**

2. Haga clic en la pestaña **Diseño de página** y pulse sobre el comando **Área de impresión** del grupo **Configurar página**.

3. Como ve, este comando permite crear y eliminar áreas de impresión. Pulse en la opción **Establecer área de impresión**. ▼**2**

4. El rango de celdas queda enmarcado con una línea discontinua a la vez que aparece el término **Área de impresión** en el cuadro de nombre. ▼**3** Una vez creada el área de impresión,

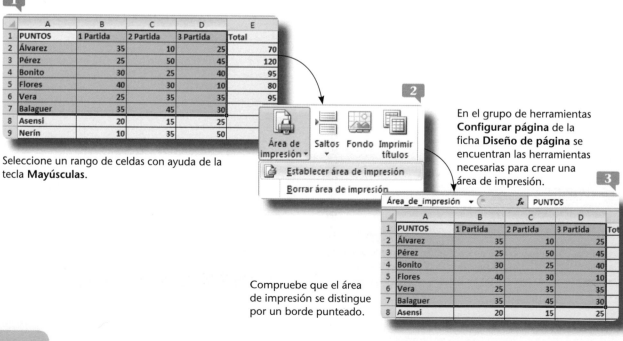

Seleccione un rango de celdas con ayuda de la tecla **Mayúsculas**.

En el grupo de herramientas **Configurar página** de la ficha **Diseño de página** se encuentran las herramientas necesarias para crear una área de impresión.

Compruebe que el área de impresión se distingue por un borde punteado.

090

podemos indicar en el cuadro **Imprimir** que únicamente se imprima esa zona o bien justamente lo contrario, que se omita. Haga clic en la pestaña **Archivo** y seleccione la opción **Imprimir**.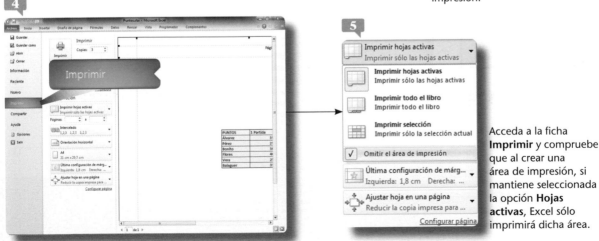

5. Se abre de este modo la ficha **Imprimir**. En el apartado **Configuración** se encuentra seleccionada por defecto la opción **Hojas activas**. Tenga en cuenta que, al establecer una área de impresión, Excel interpreta su contenido como la hoja activa. Active la opción **Omitir áreas de impresión** y observe que la vista previa actúa como si no hubiese ninguna área de impresión seleccionada.

6. Para que se imprima solamente el área de impresión que hemos creado, vuelva a hacer clic sobre **Omitir áreas de impresión**.

7. Ahora active la ficha **Diseño de página**.

8. Observe que la Cinta de opciones dispone de un grupo de herramientas, **Ajustar área de impresión**, que le permite modificar la escala del área de impresión. Para acabar el ejercicio, pulse en el comando **Área de impresión** del grupo de herramientas **Configurar página** y haga clic en **Borrar área de impresión**.

9. Si desea que Excel recuerde la información correspondiente al área de impresión, guarde el libro manteniéndola establecida.

Desde el grupo de herramientas **Configurar página** se puede tanto crear como eliminar una área de impresión.

Acceda a la ficha **Imprimir** y compruebe que al crear una área de impresión, si mantiene seleccionada la opción **Hojas activas**, Excel sólo imprimirá dicha área.

Convertir texto en columnas

IMPORTANTE

Active la opción **De ancho fijo** en el primer paso del asistente y, en el cuadro **Vista previa de los datos**, arrastre una línea para indicar el lugar donde desea dividir el contenido cuando lo haga mediante un salto de columna.

Vista previa de los datos seleccionados:

```
1 Pablo Mena Mena
2 Felipe Sánchez Juan
3 Armando Soriano Bolero
4 Mercedes Prieto González
5 Manuel Álvarez Delgado
```

EL COMANDO TEXTO EN COLUMNAS incluido en el grupo Herramientas de datos de la ficha Datos, abre el denominado Asistente para convertir texto en columnas, que nos permite separar el contenido de celdas simples en diferentes columnas. Esta herramienta es especialmente útil, por ejemplo, para separar en diferentes columnas nombres y apellidos.

1. En una hoja en blanco de su libro, inserte un breve listado de nombres propios.

2. En primer lugar, seleccione el rango de celdas donde se encuentra el texto que va a convertir: seleccione la celda que contiene el primer nombre de su lista, pulse la tecla **Mayúsculas** y, sin soltarla, haga clic en la celda con el último nombre. **1**

3. En la ficha **Datos** pulse sobre el comando **Texto en columnas**, en el grupo **Herramientas de datos**. **2**

4. Se abre el **Asistente para convertir texto en columnas**, que consta de tres pasos. En el primero debemos indicar si los datos que vamos a convertir son delimitados o de ancho fijo. Seleccione la opción **Delimitados** y pulse en el botón **Siguiente**. **3**

5. En el segundo paso estableceremos el tipo de separador que se utilizará para los datos. En la vista previa puede ver el efecto

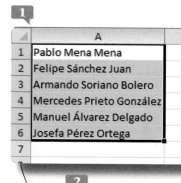

Seleccione el rango de celdas que quiera convertir en columnas y pulse en la herramienta **Texto en columnas** para acceder al asistente de conversión de texto en columnas.

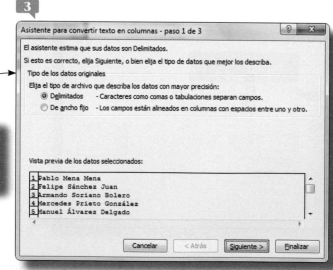

091

que se conseguirá. En este caso, el delimitador entre el nombre y los apellidos es un espacio. En el apartado **Separadores**, desactive la opción **Tabulación** y active la opción **Espacio**.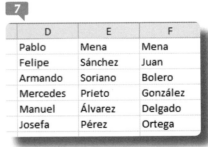

6. Compruebe el resultado en el cuadro de vista previa: ahora el nombre y los apellidos se muestran en tres columnas distintas. Pulse el botón **Siguiente**.

7. En este paso podemos establecer el formato de los datos contenidos en cada columna. Observe que el formato aplicado por defecto para todas las columnas es **General**; lo cambiaremos por el formato de texto. Mantenga seleccionada la primera columna en la vista previa y pulse en el botón de opción **Texto**.

8. Repita la operación con la segunda y la tercera columnas.

9. En este paso también debemos indicar el punto de la hoja en que situaremos la tabla. Por defecto ésta se ubicará en la primera de las celdas seleccionadas, de manera que la tabla sustituirá al texto, pero podemos situarla en cualquier otro punto para mantener el texto original. Haga clic en el icono que aparece a la derecha del campo **Destino**.

10. El cuadro **Asistente para convertir texto en columnas** se minimiza para que indiquemos mediante un clic en la hoja la celda a partir de la cual se distribuirá la tabla creada. Haga clic en una celda libre para seleccionarla y maximice el asistente pulsando en el icono que aparece a la derecha del cuadro de texto.

11. Una vez establecidas las condiciones de la conversión, pulse el botón **Finalizar** y vea el resultado obtenido.

7

D	E	F
Pablo	Mena	Mena
Felipe	Sánchez	Juan
Armando	Soriano	Bolero
Mercedes	Prieto	González
Manuel	Álvarez	Delgado
Josefa	Pérez	Ortega

Si ha seguido las indicaciones de este ejercicio, el resultado debería ser una lista similar a la de la imagen superior.

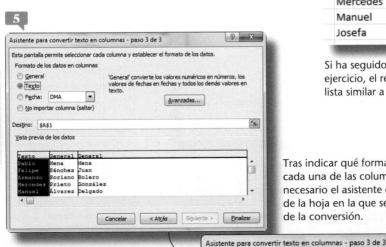

4

Separadores
- ☐ Tabulación
- ☐ Punto y coma
- ☐ Coma
- ☑ Espacio
- ☐ Otro:

En el segundo paso del asistente, seleccione el tipo de separador que se utiliza entre los elementos.

5

Asistente para convertir texto en columnas - paso 3 de 3

Esta pantalla permite seleccionar cada columna y establecer el formato de los datos.

Formato de los datos en columnas
- ☐ General
- ☑ Texto
- ☐ Fecha: DMA
- ☐ No importar columna (saltar)

'General' convierte los valores numéricos en números, los valores de fechas en fechas y todos los demás valores en texto.

Avanzadas...

Destino: $A$1

Vista previa de los datos

Texto	General	General
Pablo	Mena	Mena
Felipe	Sánchez	Juan
Armando	Soriano	Bolero
Mercedes	Prieto	González
Manuel	Álvarez	Delgado

Cancelar < Atrás Siguiente > Finalizar

Tras indicar qué formato se aplicará a cada una de las columnas, minimice si es necesario el asistente e indique la celda de la hoja en la que se pegará el resultado de la conversión.

6

Asistente para convertir texto en columnas - paso 3 de 3

=$B$10

Proteger la hoja

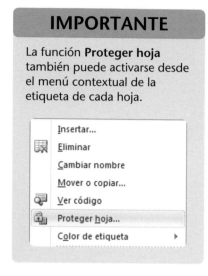
PARA IMPEDIR QUE SE PRODUZCAN CAMBIOS en una hoja de cálculo, Excel dispone de diversas herramientas de protección incluidas en el grupo Cambios de la ficha Revisar. Es posible proteger la hoja activa o todo el libro abierto. Esta función protege las fórmulas y los valores de las celdas y permite modificar el contenido de ciertos rangos previamente definidos. Además, también permite restringir el acceso a la configuración de protección establecida a aquellos usuarios que dispongan de la contraseña adecuada.

1. Suponga que desea que los datos contenidos en su hoja sean utilizados sólo como consulta y no puedan ser modificados. Para ello, deberá protegerla. Sitúese en la ficha **Revisar** de la Cinta de opciones y pulse sobre el comando **Proteger hoja** del grupo **Cambios**.

2. Aparece el cuadro de diálogo **Proteger hoja**. Observe que en el cuadro **Permitir a los usuarios de esta hoja de cálculo** están activadas dos únicas opciones gracias a las cuales el usuario podrá seleccionar las celdas de esta hoja. Con esta configuración se protegerán todos los objetos que contiene la hoja, pero piense que puede utilizar la opción **Permitir que los usuarios modifiquen rangos** para definir un rango modificable dentro de esta misma hoja. Pulse el botón **Aceptar**.

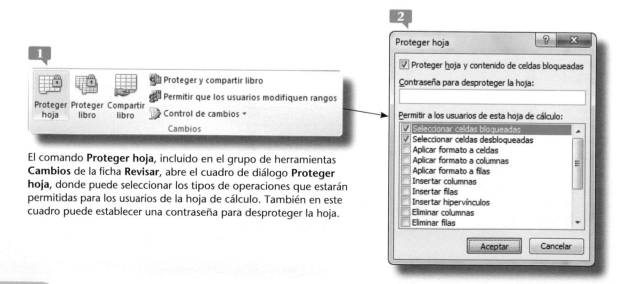

El comando **Proteger hoja**, incluido en el grupo de herramientas **Cambios** de la ficha **Revisar**, abre el cuadro de diálogo **Proteger hoja**, donde puede seleccionar los tipos de operaciones que estarán permitidas para los usuarios de la hoja de cálculo. También en este cuadro puede establecer una contraseña para desproteger la hoja.

3. Seleccione cualquier celda con contenido e intente escribir un valor distinto al actual. Verá que Excel informa de que las celdas de esta hoja están protegidas y que, por tanto, son de sólo lectura. Pulse el botón **Aceptar**. [3]

4. Para eliminar la protección, pulse el botón **Desproteger hoja**.

5. El comando **Proteger libro** permite proteger la estructura y las ventanas del libro, de manera que será imposible cambiar el nombre de las hojas, variar su orden, ocultarlas, modificar el tamaño de las ventanas, etc. También podemos evitar que se desproteja un libro utilizando contraseñas. En este caso, protegeremos la estructura del libro. Pulse en el mencionado comando. [4]

6. Se abre la ventana **Proteger estructura y ventanas** con la opción **Estructura** activada y el cursor en el campo **Contraseña (opcional)**. Escriba por ejemplo su nombre en ese campo y pulse **Aceptar**. [5]

7. Vuelva a escribir la contraseña en el cuadro **Confirmar contraseña** y pulse **Aceptar**. [6]

8. Para comprobar que todas las opciones de trabajo con hojas están ahora inactivas, haga clic con el botón derecho del ratón sobre la etiqueta de la hoja activa.

9. Efectivamente, no es posible insertar o eliminar hojas, cambiarles el nombre, etc. Para desproteger el libro, haga clic en el comando **Proteger libro**, pulse en la opción **Proteger estructura y ventanas**, escriba su contraseña en el cuadro **Desproteger libro** y pulse el botón **Aceptar**.

Para proteger la estructura y las ventanas de un libro, debe dirigirse al comando **Proteger libro** del grupo de herramientas **Cambios**.

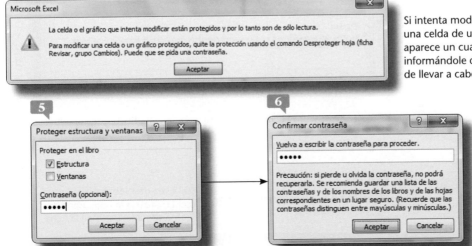

Si intenta modificar el contenido de una celda de una hoja protegida, aparece un cuadro de advertencia informándole de la imposibilidad de llevar a cabo esa acción.

Si desea aumentar el nivel de protección de la estructura de su libro, inserte y confirme una contraseña.

Bloquear y desbloquear celdas

UNA HOJA DE CÁLCULO TOTALMENTE BLOQUEADA tiene muy poca utilidad. Una situación así sólo tiene sentido cuando se trata de un documento destinado sólo a la lectura, como si se tratara de una hoja impresa. La protección correcta de una tabla es, pues, aquélla que mantiene intocables las fórmulas pero permite introducir datos en las variables.

1. Suponga que desea proteger su hoja de cálculo de manera que una celda determinada puede ser modificada, es decir, no esté bloqueada. Para empezar, seleccione la celda en cuestión y sitúese en la ficha **Inicio** de la Cinta de opciones.

2. Pulse en el comando **Formato** del grupo de herramientas **Celdas**, compruebe que la opción **Bloquear celda** se encuentra activada en el menú que se despliega y acceda al cuadro de formato de la celda pulsando en la opción **Formato de celdas**.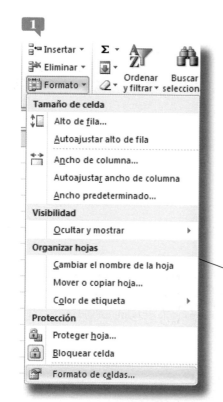

3. En el cuadro **Formato de celdas**, pulse sobre la pestaña **Proteger** y compruebe que también aquí la opción **Bloqueada** se encuentra activada. Desactívela y pulse el botón **Aceptar**.

4. A continuación, sitúese en la ficha **Revisar** y haga clic en el comando **Proteger hoja**.

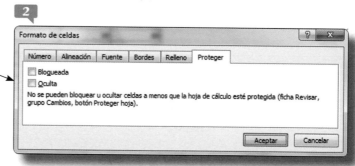

Acceda al cuadro **Formato de celda** y, en la ficha **Proteger**, desactive la opción **Bloqueada** para que al proteger la hoja, el bloqueo no afecte a la celda seleccionada.

Una vez desbloqueada la celda, proteja la hoja usando el comando adecuado de la ficha **Revisar**.

5. Mantenga las opciones tal y como aparecen en el cuadro **Proteger hoja** y pulse el botón **Aceptar**.

6. Ahora todas las celdas de la hoja están bloqueadas excepto la que ha elegido. Compruébelo escribiendo en la celda seleccionada y pulsando el icono **Introducir**.

7. El contenido de una celda desbloqueada puede modificarse, pero no el formato cuando la hoja está protegida. Para comprobarlo, sitúese de nuevo en la ficha **Inicio** y haga clic en el comando **Formato** del grupo de herramientas **Celdas**.

8. Como ve, todas las opciones de este menú relativas a la edición de celdas se encuentran desactivadas. Pulse sobre la opción **Desproteger hoja**.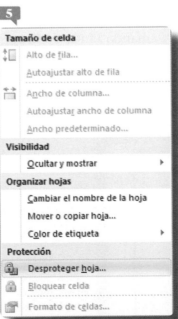

9. Para acabar, activaremos la opción Bloqueada en el cuadro de formato de la celda seleccionada. Esta vez acceda al cuadro **Formato de celdas** pulsando con el botón derecho del ratón sobre la celda en cuestión y seleccionando en el menú contextual la opción adecuada.

10. Sitúese en la ficha **Proteger**, haga clic en la casilla de verificación de la opción **Bloqueada** para activarla y acabe el ejercicio pulsando el botón **Aceptar**.

Recuerde que puede acceder al cuadro de formato de celdas desde el comando **Formato** de la ficha **Inicio** o desde el menú contextual de las celdas.

Al proteger una hoja en la que se ha desbloqueado una celda, es posible modificar el contenido de dicha celda, pero no es posible editarla. Para ello, deberá desproteger la hoja.

Firmar documentos

LAS FIRMAS DIGITALES DE MICROSOFT OFFICE combinan la familiaridad de las firmas en papel con las ventajas de las de formato digital. En este ejercicio veremos cómo añadir una línea de firma al documento. Esta línea de firma especifica la persona que debe firmar el documento. Se insertará una línea de firma con los datos del firmante donde éste deberá firmar ya sea manualmente una vez impreso el documento o digitalmente.

1. Para este ejercicio utilizaremos un documento que haya sido guardado en nuestro ordenador, por ejemplo, el archivo **Puntos**. Active la ficha **Insertar**.

2. Pulse sobre el botón de punta de flecha del comando **Línea de firma** que se encuentra en el grupo de herramientas **Texto**, justo debajo del comando **WordArt**.

3. Seleccione la opción **Agregar servicios de firma**.

4. Se abre así una página de su navegador en la que encontrará toda la información necesaria para obtener un certificado digital de Microsoft Office. Cierre esta página.

5. Vuelva a hacer clic sobre el botón de punta de flecha del comando **Línea de firma** y esta vez seleccione la opción **Línea de firma de Microsoft Office**.

6. Se abre así un cuadro de información sobre las firmas de Microsoft Excel. Pulse el botón **Aceptar** para continuar.

IMPORTANTE

A través del comando **Proteger libro** de la ficha **Información** de la pestaña **Archivo** se pueden agregar firmas digitales. Así podrá asegurar la integridad del libro agregando una firma digital invisible.

Marcar como final
Haga saber a los lectores que el libro es final y conviértalo en sólo lectura.

Cifrar con contraseña
Se necesita una contraseña para abrir el libro.

Proteger hoja actual
Controla qué tipos de cambios pueden hacer los demás usuarios en la hoja actual.

Proteger estructura del libro
Evita cambios no deseados en la estructura del libro, como agregar hojas.

Restringir permisos por personas
Conceder acceso a las personas pero quitar permisos para editar, copiar o imprimir.

Agregar una firma digital
Asegure la integridad del libro agregando una firma digital invisible.

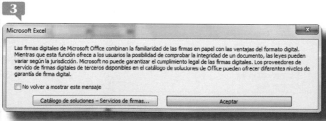

En Microsoft Excel puede utilizar firmas tradicionales o identificaciones digitales. Las identificaciones digitales pueden conseguirse a través de Microsoft o también puede crear la suya propia, aunque ésta sólo será válida para su equipo.

7. En el cuadro **Configuración de firma** debemos añadir toda la información del firmante para que esté visible en la línea de firma. Dado que será usted mismo el que firme su documento, comience introduciendo su nombre en el campo **Firmante sugerido**.

8. A continuación rellene los campos **Puesto del firmante** y **Dirección de correo electrónico del firmante**.

9. Para que sea posible añadir algún comentario posteriormente, active el campo **Permitir que el firmante agregue comentarios**, asegúrese de que la opción **Mostrar la fecha en la línea de firma** está activada y pulse el botón **Aceptar**.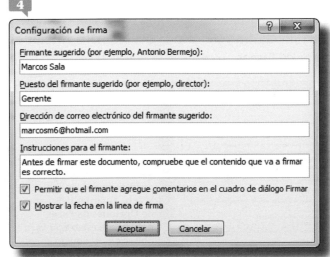

10. La línea de firma se inserta en la hoja de Excel en forma de imagen, es decir, usted puede cambiar su tamaño y su ubicación. Haga clic con el botón derecho del ratón sobre la línea de firma y, del menú contextual, seleccione la opción **Formato de imagen**.

11. En el cuadro **Formato de imagen** active la pestaña **Tamaño**.

12. En el campo **Alto** escriba el número **4**, introduzca en el campo **Ancho** el valor **8** y pulse el botón **Aceptar**.

13. Haga clic encima de la línea de firma que se ha insertado y, sin soltar el botón, desplácelo hasta el punto que más le convenga.

14. Para acabar guarde los cambios mediante la combinación de teclas **Ctrl+G**.

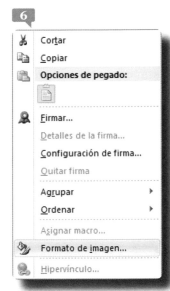

El tamaño y la ubicación de la línea de firma pueden modificarse a través del cuadro **Formato de imagen.**

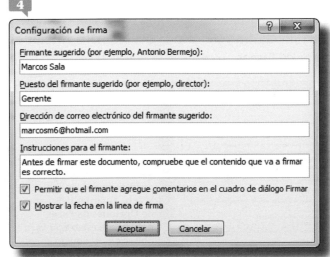

En el cuadro **Configuración de firma** tiene que insertar todos los datos del firmante que quiera que aparezcan en la línea de firma.

Recuperar documentos

LA FUNCIÓN DE SEGURIDAD **de Excel** Recuperación de documentos recupera los documentos con los que se está trabajando en caso de que el ordenador no responda o muestre un error que le obligue a reiniciarlo o a cerrarlo.

1. En primer lugar, vamos a ver cuáles son las opciones de autorrecuperación de documentos que ofrece Excel 2010. Acceda al cuadro **Opciones de Excel** pulsando el botón opciones de la ficha **Archivo**.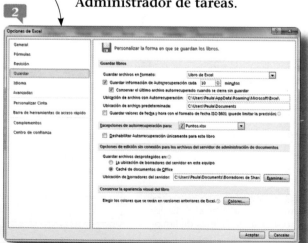

2. En el panel de categorías de la izquierda, pulse sobre la opción **Guardar**

3. En esta ficha puede determinar cada cuánto tiempo quiere que el programa guarde información de autorrecuperación y especificar la ruta en la que se guardará. Mantenga las opciones de autorrecuperación tal y como se muestran por defecto y pulse el botón **Aceptar**.

4. Ahora imagine que se ha producido un corte de corriente eléctrica o que se ha producido algún tipo de error en el programa. Para simular este problema, forzaremos el cierre del programa. Pulse la combinación de teclas **Ctrl+Alt+Supr**.

5. En su pantalla aparecen algunas opciones básicas de Windows. Seleccione con un clic en este caso la denominada **Iniciar el Administrador de tareas**.

Las opciones de autorrecuperación de archivos se encuentran en la ficha **Guardar** del cuadro de **Opciones de Excel**. Aquí puede establecer la ubicación del equipo en que se guardarán los archivos de autorrecuperación, deshabilitar esa función para un documento concreto, etc.

095

6. Se abre así el cuadro **Administrador de tareas de Windows**. En la ficha **Aplicaciones** verá todos los programas que tiene abiertos en este momento. Haga clic sobre el documento de Microsoft Excel y pulse el botón **Finalizar tarea**.

7. Aparece otro cuadro de advertencia donde tiene que confirmar que quiere cerrar la aplicación. Haga clic en el botón **Finalizar ahora**.

8. Excel se ha cerrado. Ahora vuelva a abrir el programa a través del botón **Inicio** de Windows.

9. Cuando vuelva a abrirlo, aparece el panel **Recuperación de documentos**. Sitúe el puntero del ratón sobre el nombre del archivo que desea recuperar y pulse en el botón de punta de flecha que aparece.

10. El programa proporciona la opción de guardar el archivo o de abrirlo. En este caso seleccione la opción **Abrir**.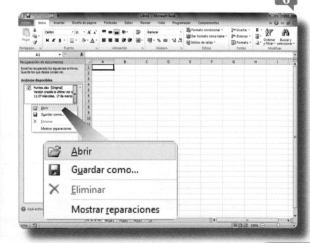

11. Automáticamente se abre el documento seleccionado a la vez que se muestra remarcado en negrita en el panel **Recuperación de documentos**. Puede cerrar este documento y recuperar otro desde el mismo panel si lo desea. Para dar por acabado este ejercicio en el que ha conocido la enorme utilidad de la herramienta de recuperación de archivos, cierre el panel **Recuperación de archivos** pulsando el botón **Cerrar**.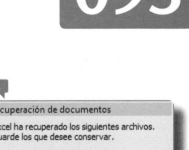

Para abrir el archivo de autorrecuperación, utilice la opción **Abrir** de su menú o bien haga doble clic sobre él. Una vez abierto, cierre el panel **Recuperación de documentos** usando el botón **Cerrar**.

Insertar comentarios

INSERTAR UN COMENTARIO EN UNA CELDA no quita espacio y es muy útil como recordatorio o ayuda. El único indicador de que una celda contiene un comentario es un discreto triángulo rojo que aparece en la esquina superior derecha de la misma.

1. Seleccione la celda **A1** (PUNTOS) del documento **Puntos**, active la ficha **Revisar** de la Cinta de opciones y pulse en el comando **Nuevo comentario**.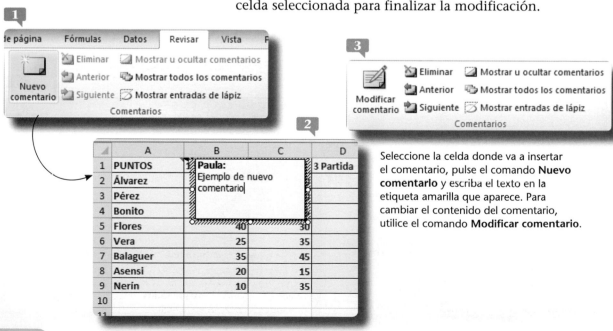

2. Automáticamente, aparece un recuadro amarillo en el que se observa el nombre de usuario correspondiente al equipo y un cursor parpadeante que indica a partir de dónde puede empezar a escribir su mensaje. Escriba un texto de ejemplo y seleccione de nuevo la celda para dar por terminada la introducción.

3. Imagine ahora que se ha dado cuenta de que ha introducido mal el texto desea corregirlo. Pulse el comando **Modificar comentario** del grupo **Comentarios**.

4. Excel muestra otra vez el recuadro amarillo del comentario con el cursor parpadeante. Modifique el texto y pulse en la celda seleccionada para finalizar la modificación.

Seleccione la celda donde va a insertar el comentario, pulse el comando **Nuevo comentario** y escriba el texto en la etiqueta amarilla que aparece. Para cambiar el contenido del comentario, utilice el comando **Modificar comentario**.

096

5. A continuación, seleccione otra celda de su hoja, pulse sobre ella con el botón derecho del ratón para abrir su menú contextual y elija la opción **Insertar comentario**.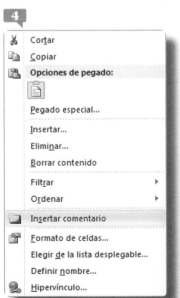

6. En la etiqueta del comentario escriba otro texto de ejemplo y vuelva a pulsar sobre la celda para confirmar la entrada.

7. Hasta el momento hemos visto cómo insertar y modificar comentarios. Por norma general, los comentarios tan sólo pueden leerse si pasamos el puntero del ratón por encima de la celda en la que están insertados o bien si pulsamos el comando **Mostrar u ocultar comentarios** cuando la celda esté seleccionada. Para verlos todos, pulse en dicho comando.

8. De forma automática, se muestran todos los comentarios de nuestra hoja. Para ocultarlos, vuelva a pulsar el comando **Mostrar todos los comentarios**.

9. Como puede imaginar, los comandos **Anterior** y **Siguiente** le permitirán navegar por los comentarios y el comando **Eliminar**, suprimirlos de la hoja. Tenga en cuenta que este último comando sólo estará activo cuando se encuentre seleccionada una celda con comentario. Púlselo para eliminar el último comentario.

10. Por último, seleccione la otra celda en la que ha insertado un comentario, que muestra ahora un pequeño triángulo rojo en su esquina superior derecha, y pulse nuevamente el comando **Eliminar**.

5

| Mostrar u ocultar comentarios |
| Mostrar todos los comentarios |
| Mostrar entradas de lápiz |

4

✂	Cor_t_ar
🗐	_C_opiar
🗐	**Opciones de pegado:**
	📋
	_P_egado especial...
	_I_nsertar...
	Elim_i_nar...
	_B_orrar contenido
	Filt_r_ar ▶
	_O_rdenar ▶
🗐	In_s_ertar comentario
🗐	_F_ormato de celdas...
	Elegir _d_e la lista desplegable...
	Definir _n_ombre...
🗐	Hipervínculo...

También puede insertar comentarios en sus celdas utilizando la opción **Insertar comentario** de su menú contextual.

6

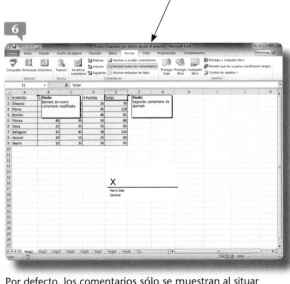

Por defecto, los comentarios sólo se muestran al situar el puntero del ratón sobre las celdas que los contienen. Utilice el comando **Mostrar todos los comentarios** para que todos aparezcan en la hoja.

Enviar por correo electrónico

LA OPCIÓN CORREO ELECTRÓNICO se encuentra en el comando Compartir, de la pestaña Archivo. Esta opción añade la hoja de cálculo que tenemos activa en este momento como documento adjunto de un e-mail. Como gestor de correo, se utiliza por defecto la aplicación configurada como predeterminada. Al dar la orden de enviar el mensaje, éste se guarda en la Bandeja de salida del programa.

1. Para empezar, haga clic en la pestaña **Archivo** y pulse sobre el comando **Compartir**.

2. Si no está activada automáticamente, seleccione la opción **Enviar mediante correo electrónico**.

3. En este comando se incluyen todas las opciones necesarias para enviar una copia del libro a otras personas, ya sea a modo de mensaje de correo electrónico, en diferentes formatos, ya sea utilizando un servicio de fax por Internet. Haga clic en la opción **Enviar como datos adjuntos**.

4. Se abre de este modo la ventana del mensaje de correo con el libro adjunto y el nombre del mismo como asunto. Si lo desea, puede modificar el texto del asunto. Para empezar, introduciremos el nombre del destinatario. En el campo **Para**, escriba la dirección de correo electrónico.

Si tiene la dirección a la que quiere enviar este mensaje guardada en sus contactos haga clic en el botón **Para** y se abrirá su libreta de direcciones.

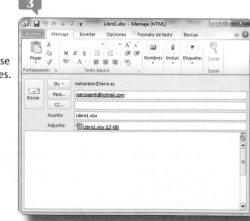

Enviar mediante correo electrónico

Para enviar un libro por correo electrónico utilice la opción **Enviar como datos adjuntos** del comando **Compartir**.

097

5. Si lo desea, puede escribir un texto en el cuerpo del mensaje. Haga clic en el área de escritura del mensaje e inserte un texto de ejemplo que acompañará al documento adjunto. 🔳

6. Para enviar el mensaje a la Bandeja de salida de Microsoft Outlook (o del programa gestor de correo electrónico que utilice), simplemente pulse sobre el botón **Enviar** de la cabecera del mensaje. 🔳

7. Vamos a comprobar ahora que el mensaje se ha colocado automáticamente en la Bandeja de salida de Outlook (o de su gestor predeterminado), preparado para ser enviado. Abra su programa habitual de correo electrónico. 🔳

8. Se abre así la ventana del programa, mostrando el contenido de la Bandeja de entrada. Muestre la carpeta **Bandeja de salida**.

9. Efectivamente, aparece el mensaje que hemos creado desde Excel. El clip que aparece junto al nombre del destinatario indica que contiene documentos adjuntos, en este caso, el libro. Para enviar definitivamente el mensaje a su destinatario, pulse el botón **Enviar y recibir**.

10. Una vez enviado el mensaje, cierre Outlook pulsando el botón de aspa de su **Barra de título**.

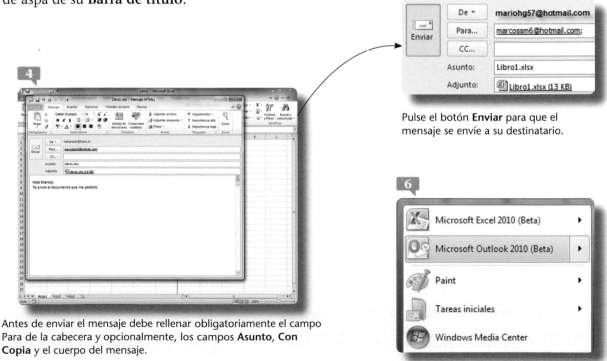

Antes de enviar el mensaje debe rellenar obligatoriamente el campo Para de la cabecera y opcionalmente, los campos **Asunto**, **Con Copia** y el cuerpo del mensaje.

Pulse el botón **Enviar** para que el mensaje se envíe a su destinatario.

Inspeccionar un documento

LA NUEVA FUNCIONALIDAD INSPECTOR DE DOCUMENTO permite revisar el libro para comprobar si existe información privada, comentarios, filas y columnas ocultas, etc., y eliminarla si es necesario. Esta herramienta resulta especialmente práctica cuando en el libro existe información confidencial que no se desea compartir con otros usuarios.

IMPORTANTE

Es recomendable usar el Inspector de documento en una copia del documento original, puesto que no siempre se pueden restaurar los datos que elimina este inspector. Por ejemplo, si elimina filas, columnas u hojas ocultas que contienen datos, se pueden ver afectados los resultados de los cálculos realizados en el libro. Si desconoce el contenido de esos elementos ocultos, muéstrelos y revise su contenido antes de eliminarlo.

☑ **Filas y columnas ocultas**
Inspecciona las filas y columnas ocultas

☑ **Hojas de cálculo ocultas**
Inspecciona las hojas de cálculo ocultas

1. Seguiremos trabajando sobre el archivo **Puntos**. Suponga que va a compartir el documento con otros usuarios y quiere eliminar información confidencial, comentarios, notas, etc. Haga clic en la pestaña **Archivo** y pulse sobre la opción **Comprobar si hay problemas**.

2. Como puede ver, en este comando se incluyen las herramientas necesarias para preparar el documento para su distribución. En el submenú que aparece, haga clic sobre la opción **Inspeccionar documento**.

3. Se abre así el cuadro **Inspector de documento**, donde debemos seleccionar el contenido oculto o privado que no deseamos incluir en el libro que vamos a compartir. Como puede ver, gracias a esta nueva herramienta, podemos localizar comentarios y anotaciones, propiedades del documento e

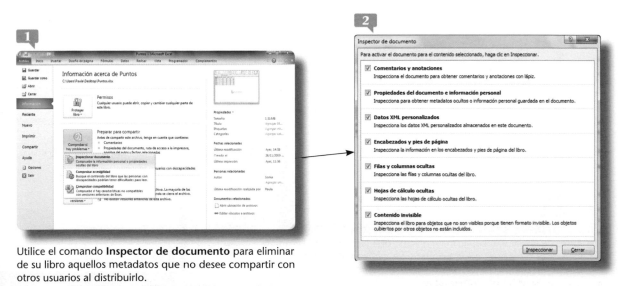

Utilice el comando **Inspector de documento** para eliminar de su libro aquellos metadatos que no desee compartir con otros usuarios al distribuirlo.

098

información personal, contenido invisible, etc. Suponga que sólo desea localizar y quitar los comentarios y anotaciones y las propiedades del documento. Desactive el resto de opciones pulsando en sus casillas de verificación.

4. Una vez establecidos los elementos que deseamos encontrar en el libro, pulse el botón **Inspeccionar**. 💬

5. El Inspector de documento localiza la información que hemos especificado y ofrece la posibilidad de quitarla antes de distribuir el libro entre otros usuarios. Pulse el botón **Quitar todo** en el caso de que su documento incluya comentarios, anotaciones o propiedades. 💬

6. El inspector nos informa ahora de que esos datos se han quitado correctamente. 💬 Una vez acabada la revisión, podemos volver a inspeccionar el libro (operación que podemos repetir tantas veces como creamos necesario) o cerrar el inspector. Pulse el botón **Volver a inspeccionar**.

7. Marque las opciones que desea inspeccionar y pulse el botón **Inspeccionar**.

8. Pulse el botón **Cerrar** del cuadro **Inspector de documento**.

Si ha eliminado propiedades del libro, pruebe a acceder al cuadro **Propiedades del documento**, también desde el comando **Información**, para comprobar que éstas ya no aparecen.

Si el inspector localiza metadatos, le ofrece la posibilidad de quitarlos todos del libro. Tenga en cuenta que esta operación es, en algunos casos, irreversible.

3

Active las casillas de los metadatos del libro que desea localizar y pulse el botón **Inspeccionar**.

4

5

Marcar como final

PARA QUE UN LIBRO SEA DE SÓLO LECTURA y evitar así que pueda ser modificado accidentalmente por usuarios no autorizados, se utiliza la función Marcar como final. Cuando un libro se marca como final, aparece un icono que así lo indica en la Barra de estado y, además, las herramientas de edición, escritura y revisión se deshabilitan y la propiedad Estado pasa a ser Final.

1. En este ejercicio marcaremos como final el libro con el que estamos trabajando y, tras comprobar cómo actúa esa función, lo devolveremos a su estado original. Haga clic en la pestaña **Archivo** y pulse sobre el comando **Proteger libro** para ver las opciones que incluye.

2. Pulse sobre la opción **Marcar como final**.

3. Aparece un cuadro de advertencia que nos indica que el libro debe marcarse como final antes de ser guardado. Pulse el botón **Aceptar** de este cuadro.

4. Tal y como indica el cuadro informativo que estamos viendo, cuando se marca un libro como final, su propiedad **Estado** pasa a ser **Final**, de manera que los usuarios con los que

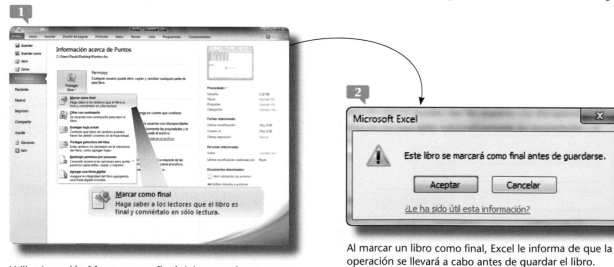

Utilice la opción **Marcar como final** del comando **Proteger libro** de la pestaña **Archivo** para marcar un libro como final de manera que no pueda ser modificado por otros usuarios.

Al marcar un libro como final, Excel le informa de que la operación se llevará a cabo antes de guardar el libro.

se comparta sabrán que se trata de la versión finalizada del mismo. Además, los comandos de edición y diseño se desactivan para que el libro no pueda ser modificado. Pulse el botón **Aceptar** de este cuadro de diálogo.

5. Vuelva a activar la ficha **Inicio** y observe que ha aparecido el icono de marcado como final, representado por un tampón y una hoja sellada, en la **Barra de estado** del libro y que los comandos de la Cinta de opciones se muestran ahora deshabilitadas.

6. Vamos a comprobar que, efectivamente, el estado de este libro es Final. Haga clic en la pestaña **Archivo**, pulse sobre la opción **Información**.

7. Entre las opciones que presenta el comando **Propiedades**, haga clic sobre **Mostrar todas las propiedades**.

8. Se harán visibles así todas las propiedades del documento, donde puede ver que en el campo **Estado** se muestra, en efecto, la opción **Final**, para indicar que está acabado.

9. Para permitir la edición de un libro que ha sido marcado como final, basta con desactivar esa opción. Haga clic en el comando **Proteger libro** y deseleccione la opción **Marcar como final**.

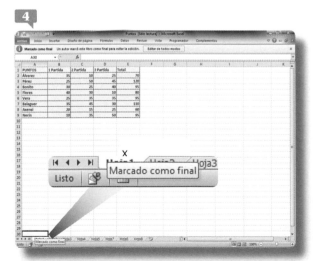

Al marcar un libro como final aparece en la **Barra de estado** un icono con un tampón que lo identifica como tal.

Tras marcar el libro como final, acceda a su panel de propiedades para comprobar que en el campo **Estado** se encuentra activada la opción **Final**.

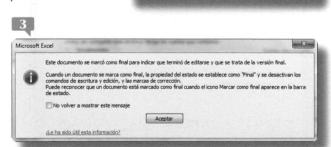

El cuadro que aparece al marcar un libro como final nos informa de que éste ha terminado de editarse y se trata de la versión final, por lo que no podrá ser modificado.

Convertir divisas en euros

LA FUNCIÓN EUROCONVERT PERMITE CONVERTIR un número a euros, un número de euros a la moneda de un estado que ha adoptado el euro, o bien un número de una moneda de un estado que ha adoptado el euro a otro utilizando el euro como moneda intermedia (función Triangulación).

1. Suponga que dispone de una serie de valores que necesita convertir en euros. Seleccione una celda libre de su hoja y pulse en el icono **Insertar función** de la **Barra de fórmulas**.

2. En el cuadro **Insertar función**, despliegue la lista de categorías, seleccione **Definidas por el usuario**, elija la categoría **Euroconvert** y pulse el botón **Aceptar**.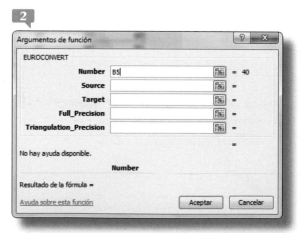

3. En el primer argumento de esta función, **Number** , debemos insertar la celda que queremos convertir. Pulse en el icono que aparece a la derecha de este campo para minimizar la ventana y seleccione la celda **B5**, con contenido numérico.

4. Maximice la ventana de argumentos y haga clic en el campo **Source** (Origen).

5. En este campo debemos introducir el código de la moneda de origen que vamos a convertir a Euros. En este caso suponga-

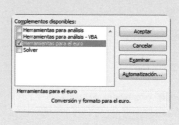
1

La función **Euroconvert** permite convertir un valor a las diferentes monedas de la Unión Europea. Los argumentos de esta función son **Número**, **Origen**, **Destino**, **Máxima precisión** y **Precisión de triangulación**.

mos que son pesetas. Escriba el código **ESP** y pulse en el campo **Target (Destino)**. 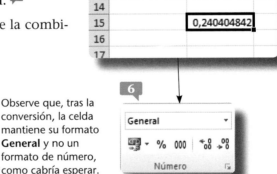 (Puede consultar la ayuda de Excel para ver los códigos de otras monedas de la Unión Europea).

6. En este campo debemos escribir el código de la moneda a la que vamos a convertir los valores seleccionados. Inserte el código **EUR**.

7. El campo **Full Precision** (Máxima precisión) contiene un valor lógico de verdadero o falso o bien una expresión que calcula a un valor de verdadero o falso que especifica el modo en que se presentará el resultado. En este campo escriba el valor VERDADERO.

8. Por último, el campo **Triangulation precision** (Precisión de triangulación) es un número entero igual o mayor que 3 que indica los dígitos significativos que se utilizarán para el valor en euros intermedio al realizar la conversión. Omita este argumento para que Excel no redondee el valor en euros y pulse el botón **Aceptar**.

9. La celda en la que hemos insertado la función muestra ahora el valor en euros de la celda seleccionada como origen. Active la ficha **Inicio** y en el grupo de herramientas **Número** observe que esta función no aplica el formato de número a la celda, sino que la conserva con el formato **General**.

10. Acabe el ejercicio guardando los cambios mediante la combinación de teclas **Ctrl+G**.

5

13	
14	
15	0,240404842
16	
17	

3

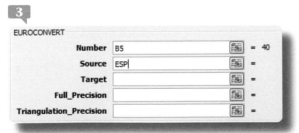

En el argumento **Number** escriba el nombre de la celda que contiene el valor que va a convertir y en el argumento **Source**, el código de la moneda de origen.

Observe que, tras la conversión, la celda mantiene su formato **General** y no un formato de número, como cabría esperar.

6

General ▾

🔻 ▾ % 000 ☐ ☐

Número

En el argumento **Target** escriba el código de la moneda a la que se va a convertir, es decir, la de destino, y en el argumento **Full precision**, los valores **Verdadero o Falso**.

4

EUROCONVERT

Number	B5		= 40
Source	"ESP"		= "ESP"
Target	"EUR"		= "EUR"
Full_Precision	VERDADERO		= VERDADERO
Triangulation_Precision			=

= 0,240404842

Para continuar aprendiendo...

SI ESTE LIBRO HA COLMADO SUS EXPECTATIVAS

Este libro forma parte de una colección en la que se cubren los programas informáticos de más uso y difusión en todos los sectores profesionales.

Todos los libros de la colección tienen el mismo planteamiento que éste que acabas de terminar. Así que, si con éste hemos conseguido que aprenda a utilizar Excel 2010 o ha aprendido algunas nuevas técnicas que le han ayudado a profundizar su conocimiento de este programa. No se detenga aquí, en la página siguiente podrá encontrar otros libros de la colección que pueden ser de su interés.

PÍDALOS EN SU LIBRERÍA HABITUAL...Y, SI NO LOS ENCUENTRA, SOLICÍTELOS A

MARCOMBO, Gran Via de les Corts Catalanes, 594, 08007 Barcelona - Tel. 933 180 079

PROCESO DE TEXTOS

Si su interés se encuentra en los programas de ofimática y más concretamente en la creación y la edición de textos, entonces el libro que está buscando es "Aprender Word 2010 con 100 ejercicios prácticos".

Word 2010, el procesador de textos por excelencia de Microsoft, es una óptima herramienta de creación y edición de documentos de textos. Gracias a sus increíbles y potentes funciones, Usted podrá crear documentos de texto de todo tipo, tanto en el ámbito personal comolcómo profesional, incluyendo imágenes, gráficos y otros elementos.

Con este libro:

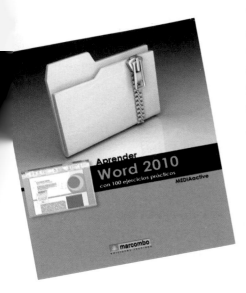

- Busque y navegue con en el nuevo Panel de navegación
- Añada efectos visuales propios de imágenes a los textos
- Edite las imágenes insertadas en los documentos con las nuevas herramientas de edición
- Simplifique el acceso a las características de gestión de archivos desde la nueva vista Microsoft Office Backstage
- Inserte capturas de pantalla

DISEÑO ASISTIDO POR ORDENADOR

Si lo que le interesa es el diseño de interiores o la arquitectura asistidos por ordenador, entonces su libro ideal es "Aprender Auto-CAD 2010 con 100 ejercicios prácticos".

AutoCAD 2010 es, actualmente, una de las aplicaciones más respetadas y utilizadas por profesionales del diseño, la ingeniería y la arquitectura. Con este manual aprenderá a manejarla de forma cómoda. En esta versión de AutoCAD, se presentan interesantes novedades, tanto en su aspecto como en sus herramientas y funcionas, que incrementan las posibilidades de creación y diseño técnico.

Con este libro:

- Reduzca el tiempo de revisión de sus diseños
- Cree y edite mallas tridimensionales
- Utilice el nuevo mando Plano de sección
- Consiga impresiones en tres dimensiones gracias a la nueva función de impresión 3D.

COLECCIÓN APRENDER...CON 100 EJERCICIOS

DISEÑO Y CREATIVIDAD ASISTIDOS

Hoy en día, gran parte del trabajo de los diseñadores gráficos se lleva a cabo con la inestimable ayuda de las herramientas digitales, en constante evolución. A ellas están dedicados los títulos de esta categoría.

- **3ds Max 2010** (TAMBIÉN EN CATALÁN)
- **AutoCAD 2009**
- **AutoCAD 2010** (TAMBIÉN EN CATALÁN)
- **Flash CS4**
- **Illustrator CS4**
- **InDesign CS4**
- **Photoshop CS4**
- **Retoque fotográfico con Photoshop CS4**

INTERNET

Gracias a Internet, millones de personas de todo el mundo tienen acceso fácil e inmediato a una cantidad enorme y diversa de información en línea. Consulte estos manuales para conocer sus múltiples utilidades.

- **Dreamweaver CS4**
- **Internet Explorer 8**
- **Windows Live**

OFIMÁTICA

El término Ofimática se refiere al equipamiento utilizado para crear, guardar, manipular y compartir digitalmente información, tanto a nivel profesional como a nivel particular. En esta categoría agrupamos los títulos:

- **Excel 2007**
- **PowerPoint 2007**
- **Word 2007**
- **Word 2010** (TAMBIÉN EN CATALÁN)

SISTEMAS OPERATIVOS

Los sistemas operativos se encargan de gestionar y coordinar las actividades realizadas por un ordenador. Estos manuales describen las principales funciones de Windows 7.

- **Las novedades de Windows 7**
- **Windows 7 Avanzado**
- **Windows 7 Multimedia y Nuevas tecnologías**